CIM-Basisbetrachtungen

CIM-Basisbetrachtungen

Siemens Aktiengesellschaft

CIP-Titelaufnahme der Deutschen Bibliothek

Baumgartner, Horst:
CIM-Basisbetrachtungen / [Autorenteam Horst Baumgartner ;
Klaus Knischewski ; Harald Wieding. Hrsg.: Siemens AG,
Produktionsautomatisierung u. Automatisierungssysteme,
Produktionsleittechnik]. — Berlin ; München : Siemens-
Aktienges., [Abt. Verl.], 1989
    (Produktionsautomatisierung)
    ISBN 3-8009-1534-0
NE: Knischewski, Klaus:; Wieding, Harald:; HST

Autorenteam

Horst Baumgartner
Klaus Knischewski
Harald Wieding

ISBN 3-8009-1534-0

Herausgeber:
Siemens AG, Produktionsautomatisierung und Automatisierungssysteme
Produktionsleittechnik
Nürnberg-Moorenbrunn, Telefon 0911-895-2733 oder 895-2903
Verlag: Siemens Aktiengesellschaft, Berlin und München
© 1989 by Siemens Aktiengesellschaft, Berlin und München.

Printed in the Federal Republic of Germany

Vorwort

In der industriellen Produktion vollzieht sich derzeit ein besonders tiefgreifender und schneller Wandel. Auf den internationalen Absatzmärkten der Fertigungsindustrie sind heute Entwicklungstendenzen zu beobachten, die sich in kurzen Produktlebenszyklen, kurzen Lieferzeiten und einer Zunahme von Produktvarianten bei zunehmenden Anforderungen an die Qualität äußern.

Um bei der verschärften, internationalen Wettbewerbssituation bestehen zu können, müssen die Unternehmen Maßnahmen zur Steigerung der Produktivität bei gleichzeitiger Flexibilisierung der Produktionsabläufe ergreifen, um eine Verbesserung ihrer Wirtschaftlichkeit und somit ihrer Marktchancen zu erzielen.

In den letzten Jahren wurde der Begriff **CIM** (Computer Integrated Manufacturing) geprägt mit dem alles zusammengefaßt wird, was zur Verbesserung dieser Wirtschaftlichkeit beiträgt. Dieser Begriff steht auch für die durchgängige Informationsverarbeitung in einem modernen Produktionsbetrieb. Die unter dem Begriff **CIM** zusammengefaßten Maßnahmen zielen auf die "**Fabrik der Zukunft**" oder die "**Fabrik mit Zukunft**" hin.

Das Ziel der vorliegenden CIM-Basisbetrachtungen ist es, Informationen über CIM und dessen Umfeld zu geben und Wege für die mögliche Einführung aufzuzeigen. CIM wird hier aus der Sicht der Produktion betrachtet, d.h. der Schwerpunkt liegt im CAM-Bereich (Computer Aided Manufacturing).

Im **ersten Kapitel** werden zunächst die Gründe erläutert, die zur Entstehung der CIM-Philosophie führten. Anschließend wird verdeutlicht, daß CIM kein kaufbares Produkt, sondern vielmehr eine Strategie und ein Konzept zur Erreichung der unternehmensspezifischen Ziele ist.

Kapitel 2 beschreibt den Weg zu CIM mit seinen strategischen und konzeptionellen Ansätzen und deren Umsetzung in einen CIM-Generalbebauungsplan und letztlich der Realisierung.

Ein wesentlicher Bestandteil der konzeptionellen Überlegungen ist der Aufbau eines funktionalen Idealmodells zur Beschreibung aller Funktionalitäten, sowie deren Schnittstellen zueinander und deren Verkettung mit den verschiedensten Fertigungsabläufen und Materialflußvarianten. In **Kapitel 3** wird dazu ein geeignetes Grundmodell beschrieben.

Aus den funktionalen Gegebenheiten und Notwendigkeiten können die DV-Grundstrukturen abgeleitet werden. Die Forderungen an die DV- und Automatisierungssysteme und deren Möglichkeiten werden in **Kapitel 4** dargestelllt. Abschließend werden einige DV-Strukturmodell-Beispiele mit funktionalen, hierarchischen Gliederungen vorgestellt.

Bei der Darstellung organisatorischer und produktionstechnischer Zusammenhänge werden in den CIM-Basisbetrachtungen Begriffe verwendet, die weitgehend als allgemein gebräuchlich (z.T. genormt) bzw. verständlich einzustufen
sind. Im Hinblick auf die in verschiedenen Unternehmen jedoch häufig anders
belegten Begriffe wird dem Leser unbedingt eine gelassene "Begriffsflexibilität"
empfohlen.

Erlangen, im Mai 1989

Siemens Aktiengesellschaft

Inhalt

Bildverzeichnis

1 Was ist CIM, warum CIM ?

1.1 Die Entstehung des CIM-Gedankens

Auf den internationalen Märkten für Produktionsgüter hat sich in den letzten Jahren ein grundsätzlicher Wandel vollzogen. Während früher der Hersteller durch sein Produktionsprogramm den Markt geprägt hat, ist heute aus diesem Anbietermarkt ein Käufermarkt geworden. Der Kunde bestimmt das Produkt oder die Produktvariante und der Hersteller muß auf diese Wünsche eingehen.
Darüber hinaus wird die Situation durch Fortschritte in der Technik, die u.a. zu einer Verkürzung der Produktlebenszyklen führen und durch einen zunehmenden, internationalen Wettbewerb geprägt. Die Erhaltung der Wettbewerbsfähigkeit ist deshalb für jedes Unternehmen eine Existenzfrage geworden.

Mit den strategischen Maßnahmen

- ❑ Qualitätsverbesserung der Produkte,
- ❑ Erhöhung der Variantenvielfalt,
- ❑ Verkürzung der Lieferzeiten und
- ❑ Verbesserung der Termintreue

kann ein Unternehmen diesem Ziel näher kommen.

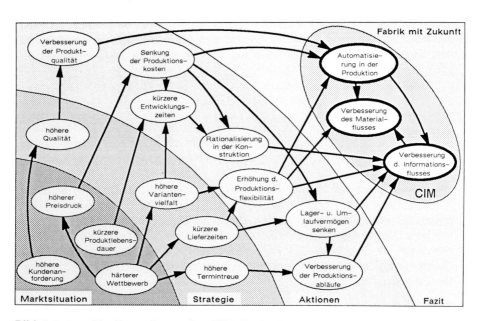

Bild 1.1-1:   Die Entstehung des CIM-Gedankens

Heute sind Fertigungs- und Montagesysteme für die verschiedensten Aufgaben auf breiter Front in der Fertigung eingeführt. Der Einsatz von Automatisierungssystemen wie z.B.

❑ leistungsfähigen Rechnern zur Produktionssteuerung,
❑ automatisierten Fertigungssystemen,
❑ numerisch gesteuerten Werkzeugmaschinen und
❑ Industrierobotern

ermöglichte eine Produktivitätssteigerung auch bei der Herstellung kleiner Losgrößen.

Als Maßnahme zur Produktivitätssteigerung stand in der Vergangenheit fast ausschließlich die Modernisierung der Produktionstechnik im Mittelpunkt. Die Automatisierungsprojekte konzentrierten sich auf Teilbereiche. Aus der Sicht des gesamten Fertigungsprozesses stellen die bisher automatisierten Systeme eigenständige Fertigungsinseln dar. Mit diesen Insellösungen konnten jedoch die eingangs formulierten Ziele nur bis zu einem gewissen Grad erreicht und damit nur Teilerfolge erzielt werden. Effektives Automatisieren setzt das koordinierte Zusammenspiel der drei Funktionen

❑ **Bearbeitung**
❑ **Materialfluß** und
❑ **Informationsfluß**

und damit die leichte Verknüpfbarkeit der Automatisierungssysteme voraus. In modernen Fertigungsanlagen wird die "Information" zu einem entscheidenden Produktionsfaktor. Um die Flexibilität eines Unternehmen zu verbessern, müssen die Informationen qualitativ verbessert und in größeren Mengen verarbeitet werden. Dies erfordert eine Neuorientierung in Richtung einer integrierten technischen Datenverarbeitung. Voraussetzung ist der durchgängige Informationsfluß mit dessen Hilfe die elektronische Datenverarbeitung zu einem bereichsübergreifenden Informationssystem wird.

Nach der Entwicklung von Automatisierungsinseln wurden deshalb die Bestrebungen darauf ausgerichtet, daß die einmal innerhalb einzelner Systeme erzeugten Daten auch anderen Bereichen und Systemen zugänglich gemacht werden können.
Die zukunftsorientierte Informationstechnik darf also an den Grenzen einzelner automatisierter Inseln oder Abteilungen nicht haltmachen, sondern muß bereichsübergreifend ausgelegt werden. Durch die Einbindung aller an der Produktion beteiligten Unternehmensbereiche, einschließlich der Zulieferanten und Kunden, kann die Fabrik der Zukunft realisiert werden. Nur wenn die Fabrik als Ganzes und nicht nur in Teilbereichen optimal betrieben wird, sind die gesteckten Ziele erreichbar.

Ebenso wie Material- und Energiefluß in der Produktion logistisch behandelt werden, so ist heute erkannt worden, daß auch der Informationsfluß als logistische Aufgabe zu behandeln ist.

Anstelle des Produktionsfaktors **"Information"** kann auch von einer **Informationslogistik** gesprochen werden, bei der die Prämissen

❏ die richtige Information
❏ in bedarfsgerechter Quantität und Qualität
❏ zum richtigen Zeitpunkt
❏ am richtigen Ort

gelten.

Die Lösung der informationslogistischen Aufgabe bedarf einer **Entflechtung traditioneller Strukturen** und einer Schaffung von Funktionsbereichen mit eindeutigen Schnittstellen, um bei der informationstechnischen Verknüpfung die **Transparenz der betrieblichen Funktionen** zu gewährleisten.

Die Lösung dieser informationslogistischen Aufgabe führt zur CIM-Philosophie.

Der Weg dorthin erfordert neben der Entflechtung traditioneller organisatorischer Strukturen auch die Überwindung von Bereichs- oder Abteilungsschranken. Daraus läßt sich ableiten, daß das Unternehmen

❏ seine innerbetrieblichen, ablauforientierten Strukturen zu überdenken,
❏ die Arbeitsinhalte neu zu gestalten,
❏ die organisatorischen Schnittstellen exakt zu definieren und
❏ falls erforderlich, diese zu reduzieren hat.

Eine Anpassung der bestehenden Organisationsstruktur an die notwendige Form kann in eingefahrenen Betrieben nur Schritt für Schritt erfolgen.

In der Zukunft ist ein integrierter Informationsfluß und eine prozeßorientierte Ablauforganisation für die Wirtschaftlichkeit des Gesamtunternehmens von gleicher Bedeutung wie der effektive Produktionsprozeß selbst.

CIM dient somit der Zukunftsicherung des Unternehmens !

❏ Der CIM-Gedanke ist der zukunftsweisende, konzeptionelle Ansatz für einen systematischen Auf- und Ausbau der heutigen Automatisierungsysteme in der Produktion.

❏ CIM definiert die künftige Automatisierungsstruktur der Produktion auf der Basis gemeinsamer, einheitlicher Produktionsdaten.

❏ CIM erfordert den Einsatz kommunikationsfähiger Automatisierungssysteme, wie speicherprogrammierbarer Steuerungen, numerischer Steuerungen und Rechnern mit ihren Datenhaltungssystemen, Kommunikationsnetzen und Softwaresystemen um einen durchgängigen Informationsfluß sichern zu können.

❏ CIM ist damit ein Mittel zur Umsetzung unternehmerischer Zielsetzungen.

Erfolg und Nutzen von CIM hängen in starkem Maße davon ab, inwieweit es gelingt, die Möglichkeiten der rechnerunterstützten Informationsverarbeitung mit den entsprechenden organisatorischen Strukturen in Einklang zu bringen.

Ein informationstechnischer Ansatz allein führt nicht zum Ziel.

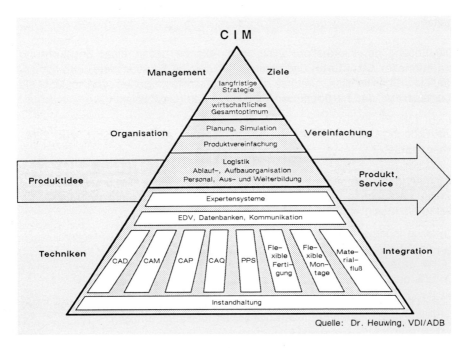

Bild 1.1-2: CIM – mehr als nur ein technisches Problem

Der Zusammenhang zwischen Organisation, Automatisierungstechnik und Informationsverarbeitung muß ganzheitlich und bereichsübergreifend betrachtet werden, ohne dabei die Fähigkeiten und Möglichkeiten, aber auch die Wünsche der betroffenen Mitarbeiter zu vernachlässigen.
Das Bild 1.1-2 zeigt, daß in einer CIM-Struktur

☐ das Management die langfristigen Ziele vorgibt,
☐ eine Vereinfachung innerhalb der Organisation stattfinden muß und
☐ die neuen Techniken in die bestehende Produktionsstruktur zu integrieren sind.

Die Unternehmen müssen sich dessen bewußt sein, daß die Nutzeffekte nur stufenweise erzielt werden können. Um die notwendigen Investitionen zu rechtfertigen, sind Wirtschaftlichkeitsnachweise erforderlich, bei denen man sich jedoch nicht von kurzfristigen Erfolgszwängen drängen lassen darf.

Bei der Entscheidung für CIM soll somit nicht gefragt werden:

"Was sparen wir kurzfristig ein ?",

sondern

"Wohin entwickelt sich unsere betriebliche Situation bei einem Verzicht auf die CIM-Einführung ?"

bzw.

"Steht die betriebliche Entwicklung ohne CIM noch im Einklang mit den wettbewerbsbestimmenden Zielsetzungen des Unternehmens ?".

Diese Fragen zeigen, daß CIM in erster Linie ein strategisches Konzept ist, das im Einklang mit den Unternehmenszielen langfristig die Wettbewerbsfähigkeit des Unternehmens sichert.

CIM ist primär eine Herausforderung an die Unternehmensführung und erst sekundär die Lösung eines technischen Problems.

1.2 CIM – Eine unternehmensspezifische Strategie

Die Wettbewerbsfähigkeit eines Unternehmens kann nicht allein durch eine An-passung an die Marktsituationen gesichert oder verbessert werden, sondern muß mit Hilfe der Unternehmensplanung gestaltet werden. Das Ziel der langfristigen Unternehmensplanung ist es, eine Strategie zu erarbeiten, die den wirtschaftlichen Erfolg und damit den Unternehmensfortbestand sichert. Die Einführung der rechnerintegrierten Produktion (CIM) wird für viele Unternehmen somit der Schlüssel zur Stärkung der Wettbewerbsfähigkeit sein.

Im Gegensatz zu herkömmlichen Projekten der Automatisierungstechnik ist CIM ein langfristiges und sehr komplexes Vorhaben. Dies zeigt sich bereits daran, daß neben den technischen auch die organisatorischen Strukturen (Ablauf, Aufbau) miteinbezogen werden müssen. Aufgrund der bereichsübergreifenden Konzeption von CIM und der sich dabei ergebenden Langfristigkeit, des hohen Kapitalbedarfs und den technischen und organisatorischen Auswirkungen auf nahezu alle Unternehmensbereiche, ist ein CIM-Projekt in die strategische Unternehmensplanung miteinzubeziehen. CIM-Projekte sind daher, im Gegensatz zu klar abgrenzbaren Projekten, eindeutig in den Verantwortungsbereich der Unternehmensleitung einzuordnen.

Zur Gestaltung der technischen Bereiche eines Unternehmens wird im Allgemeinen ein Generalbebauungsplan erstellt, der nur dann langfristig gültig sein kann, wenn er in engem Zusammenspiel mit der Unternehmensplanung entwickelt wird und somit mit der langfristigen Weiterentwicklung des Unternehmens abgestimmt ist. Deshalb sind sehr sorgfältig das Unternehmen und die Branchensituation (das Umfeld) zu analysieren, sowie Trends, Chancen und Risiken zu prognostizieren, die sich aus Markt- oder Technologieentwicklungen, aber auch aus Veränderungen der politischen und gesetzlichen Rahmenbedingungen ergeben.

Die Unternehmensführung muß sich also mit folgenden Kernfragen auseinandersetzen:

1. Wo steht das Unternehmen im Vergleich zu anderen Mitbewerbern am Markt?
2. Wohin wird sich das Umfeld des Unternehmens in Zukunft entwickeln?
3. Welche Unternehmensziele sollen in den nächsten 10 – 15 Jahren erreicht werden?
4. Wo befinden sich die Produkte des gegenwärtigen Erzeugnissprogramms auf ihrer Lebenskurve?
5. Welche Produkte können durch technische Weiterentwicklungen in absehbarer Zeit erneuert und dann wirtschaftlicher hergestellt werden.
6. Welches sind die wichtigsten umsatz- und gewinnbestimmenden Faktoren (Vertrieb, Service, Qualität, Absatzmenge, Preis) ?

7. Welche Änderungen im Produktionsprozeß führen zu Kosteneinsparungen und höherer Flexibilität und damit zu besserer Wettbewerbsfähigkeit?
8. Welche maßgeblichen Faktoren sind für den langfristigen Erfolg der CIM-Konzeption entscheidend?

Je präziser diese Fragen beantwortet werden, desto detaillierter und zuverlässiger können die Unternehmensziele und die daraus abzuleitenden Strategien festgelegt werden. Hierin sind die mittelfristigen Maßnahmen (3 – 6 Jahre) für die Themen

☐ Absatzplanung
☐ Finanzplanung
☐ Personalplanung
☐ Produktentwicklung
☐ Systemkonzept
☐ Funktionszuordnung
☐ Organisationsstrukturentwicklung

zu bestimmen.

Die enge Verzahnung des Einführungsprozesses von CIM mit der **langfristigen** Unternehmensstrategie wird durch folgende Fakten belegt:

☐ Die bereichsübergreifende Planung erfordert einen weiten Zeithorizont.
☐ Die Komplexität von CIM erfordert ein Vorgehen in abgestimmten Teilkonzepten.
☐ Die Inkompatiblitäten der vorhandenen und neu einzubindenden Automatisierungskomponenten (Abstimmungsproblematik, Schnittstellenabsprache) benötigen eine langfristig gültige Harmonisierung.
☐ Eventuell notwendige Änderungen bestehender Organisationsstrukturen können nur stufenweise durchgeführt werden.
☐ Viele vorhandene Produktionsanlagen haben sich noch nicht amortisiert und müssen deshalb mitberücksichtigt werden.
☐ Ein hoher Kapitaleinsatz ist zu leisten und muß über mehrere Jahre verteilt werden.
☐ Die erforderliche Mitarbeiter-Qualifikation kann nicht kurzfristig den neuen Strukturen und Techniken angepaßt werden.

Für die Erstellung des Generalbebauungsplanes im Rahmen von CIM (CIM-Generalbebauungsplan) ist, abhängig von der Betriebsgröße, ein Zeitraum von mindestens einem Jahr anzusetzen und für eine CIM-Einführung von der ersten Teilrealisierung bis zum komplett durchgängigen Informationssystem sind mehr als 10 Jahre einzuplanen. Ein zu schnelles, strategieloses Vorgehen gefährdet den Gesamterfolg.

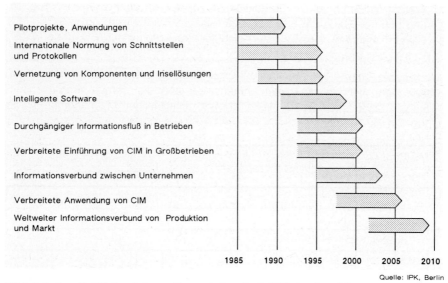

Pilotprojekte, Anwendungen

Internationale Normung von Schnittstellen
und Protokollen

Vernetzung von Komponenten und Insellösungen

Intelligente Software

Durchgängiger Informationsfluß in Betrieben

Verbreitete Einführung von CIM in Großbetrieben

Informationsverbund zwischen Unternehmen

Verbreitete Anwendung von CIM

Weltweiter Informationsverbund von Produktion
und Markt

1985   1990   1995   2000   2005   2010

Quelle: IPK, Berlin

Bild 1.2-1:   Zeitliche Integrationsstufen bei CIM (weltweit)

Das IPK (Institut für Produktionsanlagen und Konstruktionstechnik, Berlin) hat eine auf den internationalen Normungsbestrebungen basierende Prognose veröffentlicht, die einen Überblick gibt, in welchen Zeiträumen die einzelnen Stufen von CIM weltweit erreicht werden können.

1.2.1   CIM – Ein unternehmensspezifisches Konzept

Um das Risiko bei Investitionen in neue Technologien zu minimieren, versuchen viele Anwender immer wieder bereits realisierte Lösungen auf ihre eigene Anwendung zu übertragen. Gerade ähnliche Aufgabenstellungen verleiten häufig zu dieser Praxis.

Dabei begibt sich der Anwender jedoch zwangsläufig in die Gefahr ein fremdes CIM-Konzept zu realisieren, das nicht die eigenen betrieblichen Einflußfaktoren berücksichtigt. Da CIM jedoch als Bestandteil der eigenen Unternehmensstrategie zur Verbesserung der Wettbewerbsfähigkeit beitragen soll, muß das eigene CIM-Konzept unbedingt aus den unternehmensspezifischen Zielen und Randbedingungen abgeleitet werden.

Ein Standard-CIM-Konzept kann es somit nicht geben!

Die betrieblichen Randbedingungen lassen sich in Marktforderungen (extern) und betriebsspezifische Faktoren (intern) untergliedern (siehe Bild 1.2.1-1). Weiteren Einfluß auf das unternehmensspezifische CIM-Konzept üben die technischen und wirtschaflichen Ziele aus.

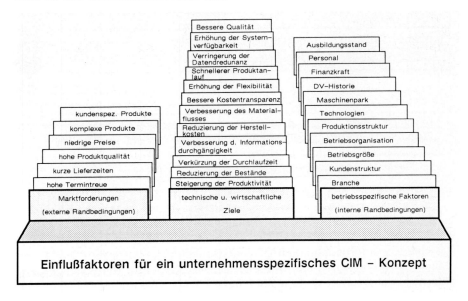

Bild 1.2.1-1: Einflußfaktoren für das unternehmensspezif. CIM-Konzept

Die **Marktforderungen** werden durch den bestehenden Kundenkreis vorgegeben, sie sind nicht beeinflußbar und können allenfalls durch eine Veränderung der Kundenstruktur umgangen werden.

Die im Bild 1.2.1-1 aufgeführten globalen Marktforderungen sind je nach Kundenkreis, Wettbewerbsstuktur u. a. unterschiedlich zu gewichten.

Die **betriebsspezifischen Faktoren** sind das Ergebnis der Unternehmensentwicklung. Sie lassen sich nur langfristig ändern. Selbst bei der Neuerrichtung von Teilproduktionsstätten sind diese Randbedingungen zu berücksichtigen, obgleich in diesem Falle, Maschinenpark oder DV-Systeme sich weitgehend neu gestalten lassen.
Bei den internen Randbedingungen hat die Unternehmens- bzw. Betriebsorganisation die größten Auswirkungen auf die CIM-Konzeption und deren Verwirklichung. Beispielsweise sind die sich aus der bereichsübergreifenden CIM-Konzeption ergebenden Strukturveränderungen, sowohl im Ablauf als auch im Aufbau, allein wegen den damit verbundenen personalpolitischen Konsequenzen und Akzeptanzproblemen kurzfristig nicht realisierbar.
Die Bedeutung einer funktional gut gestalteten Struktur wird heute allgemein anerkannt, denn viele Probleme können bereits durch die Entflechtung der betrieblichen Abläufe gelöst werden.

Die **technischen und wirtschaftlichen Ziele** sind entsprechend den externen Randbedingungen und den Strategiezielen zu gewichten. Für einen Programmfertiger ist die Verbesserung der Produktionsflexibilität mit dem Ziel kleiner Losgrößen zweitrangig gegenüber einer Durchlaufzeitverkürzung. Ein Kundenauftragsfertiger wiederum gewichtet die Ziele umgekehrt. Hohe Produktionsflexibilität bedeutet für ihn, Schwerpunkte im Bereich der Konstruktion (CAD) zu setzen.

Aus zwei Gründen darf die Gewichtung der Ziele nicht vernachlässigt werden:

1. Bestimmte Ziele stehen in Konkurrenz zueinander. Gleichzeitig können die Ziele jeweils nur bis zu einem bestimmten Grad erreicht werden, z. B.:
   ❏ Flexibilität und Produktivität,
   ❏ Flexibilität und Durchlaufzeitverkürzung.

2. Die Umsetzung der Ziele bindet Kapital. Für untergeordnete Ziele wird im allgemeinen weniger investiert. Es ist dabei zwischen festen Forderungen, Mindestforderungen und Wünschen zu unterscheiden.

CIM ist ein langfristiges, unternehmensspezifisches Konzept zur Erreichung der technischen und wirtschaftlichen Ziele unter Berücksichtigung interner und externer Randbedingungen.

1.2.2 Wirtschaftlichkeitsbetrachtung bei CIM

Die Erstellung und Realisierung eines strategisch wirksamen, geeigneten, unternehmensspezifischen CIM-Konzeptes verlangt vom Unternehmer ein umfangreiches Investment. Deshalb ist die Forderung nach dem Nachweis der Wirtschaftlichkeit der CIM-Investitionen gerechtfertigt.

Dieser Nachweis ist jedoch schwierig, da sich eine kostenbezogene Bewertung mit den konventionellen, betriebswirtschaftlichen Kriterien wie Nettogegenwartswert, interner Zinsfuß etc. kaum durchführen läßt. Die reine Investitionsbetrachtung kann hier nicht angesetzt werden, da die Bewertungen stets auf augenblicklich gültigen Randbedingungen basieren, die sich während der langfristigen Realisierungsphase von CIM verändern können. Neben den monetären Gesichtspunkten müssen auch die monetär nicht bewertbaren Nutzeffekte berücksichtigt werden, die man als Investitionen mit strategischem Charakter bezeichnen kann. In diesem Zusammenhang sind zur Entscheidungsfindung neben den monetär **quantifizierbaren Faktoren** wie

- ❑ kürzere Durchlaufzeiten,
- ❑ geringere Kapitalbindung durch niedrigere Lager- und Umlaufbestände,
- ❑ höhere Qualität,
  - niedrigere Ausschußraten
  - niedrigerer Nacharbeitsanteil
- ❑ höhere Maschinenauslastung und damit geringerer Maschinenbedarf,
- ❑ geringerer Personalbedarf in der Fertigung,

die **nicht quantifizierbaren Faktoren**

- ❑ schnellere Reaktion auf Marktveränderungen,
- ❑ bessere Koordinierungsmöglichkeit mit den Zulieferern,
- ❑ höhere Flexibilität bei wechselnden Aufgaben,
- ❑ erhöhte Lieferbereitschaft mit höherer Termintreue,
- ❑ redundanzärmere, aktuelle Datenbestände,
- ❑ Imageverbesserung,
- ❑ Verbesserung der Personalqualifikation und -struktur,
- ❑ Verbesserung der Mitarbeitermotivation

zu nennen.

Die quantifizierbaren Faktoren drücken die Rentabilität eines Vorhabens aus und können somit in eine dynamische Investitionsrechnung einfließen.

Die Entscheidung für CIM läßt sich aber nur treffen, wenn für die einzelnen Teilprojekte strategischer und - soweit mit heutigen Berechnungsverfahren möglich - wirtschaftlicher Nutzen gemeinsam betrachtet werden. Da die Berechnungsverfahren bzw. - methoden diese Forderung nur teilweise erfüllen, müssen hierfür übergeordnete Methoden eingesetzt werden.

Für die Bewertung des strategischen Nutzen- oder Gefährdungspotentials (z.B. Markteinbußen, Know-how-Verluste) kann das Management durch die Verwendung der Portfolio-Matrix bei der Identifikation kritischer Entscheidungspotentiale eines CIM-Projektes unterstützt werden (Bild 1.2.2-1).

Dabei wird das CIM-Gesamtprojekt in Teilprojekte zerlegt, deren relative Positionen hinsichtlich des bewertbaren wirtschaftlichen und strategischen Nutzens einzuordnen sind.

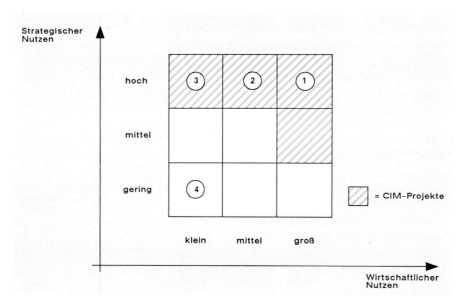

Bild 1.2.2-1:   Portfolio-Matrix

Als Beispiel in der Darstellung in Bild 1.2.2-1 sind für das Feld mit der Nummer 2 CAD- und CAP-Systeme zur Konstruktion bzw. NC-Programmerstellung zu nennen. Ihr wirtschaftlicher Nutzen ergibt sich auf Grund der hohen Investitionenskosten erst bei einer langfristigen Betrachtung. Bei CIM-Projekten ist der strategische Nutzen höher zu bewerten. Im Rahmen eines CIM-Konzeptes werden z.B. als Folge der Kopplung von CAD über CAP bis zu numerisch gesteuerten Maschinen die einmal eingegebenen Daten den verschiedenen Bereichen zur Verfügung gestellt. Integrationsnutzen heißt, daß die im CAD-System erstellten Geometrie-Daten auf elektronischem Weg in das CAP-System übernommen werden können. Dadurch entfällt der Zeitaufwand für eine zweite manuelle Eingabe. Zum anderen werden Eingabefehler und Datenverluste vermieden. Dies kommt wiederum der Zuverlässigkeit, der Produktivität und der Produktqualität zugute.
Bereits dieses Beispiel verdeutlicht, daß bei CIM-Projekten der Gesamtnutzen höher als die Summe der Einzelnutzen aus den Teilprojekten ist.

Ein weiteres Teilprojekt–Beispiel ist die Einführung eines zentralen Kommunikations–Managementsystems, das den schnellen Informationsaustausch zwischen Produktionsbereichen gewährleisten soll. Bei der Betrachtung dieses Projektes läßt sich kein wirtschaftlicher Nutzen errechnen. Die Rechtfertigung liegt in der strategischen Bedeutung für das Gesamtsystem.

Die Portfolio–Matrix gibt außerdem darüber Auskunft, in welcher Reihenfolge Teilprojekte abzuwickeln sind. Ein Projekt von hohem wirtschaftlichem und strategischem Nutzen wird an den Anfang der Realisierung gestelllt.

Die Produktivitätssteigerung und damit die Rentabilität hängt stark von der Integration des Fertigungsprozesses ab (Bild 1.2.2–2). Automatisierte Einzelmaschinen spielen zwar das Investment früher zurück, erreichen aber längerfristig

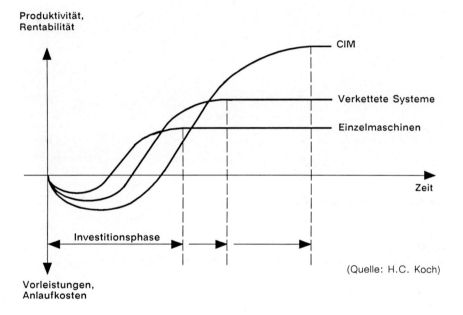

Bild 1.2.2–2: Produktivitätsverlauf unterschiedlicher Integrationsstufen

gegenüber verketteten Systemen und CIM–Lösungen deutlich weniger Rendite. Die hohen, mit der Umsetzung des CIM–Gedanken verbundenen Investitonen, zahlen sich nicht kurzfristig aus. Hierbei sind aber nicht meßbare Faktoren wie z.B. die marktgerechte Produktion und der damit verbundene Gewinn von Marktanteilen zu berücksichtigen.

Um eine Vorstellung über die Größe des durch CIM freigesetzten Rationalisierungspotentials zu geben, seien als Beispiel die Ergebnisse von fünf Großunternehmen aufgeführt, die CIM in einigen Werken weitgehend realisiert haben. Diese Werte wurden nach der CIM–Einführung ermittelt und konnten in der Planungsphase nicht vorausberechnet werden.

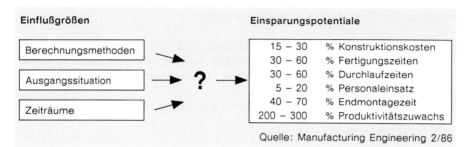

Einflußgrößen   **Einsparungspotentiale**

Berechnungsmethoden		15 – 30	% Konstruktionskosten
Ausgangssituation	?	30 – 60	% Fertigungszeiten
Zeiträume		30 – 60	% Durchlaufzeiten
		5 – 20	% Personaleinsatz
		40 – 70	% Endmontagezeit
		200 – 300	% Produktivitätszuwachs

Quelle: Manufacturing Engineering 2/86

Bild 1.2.2–3:   Wirtschaftlichkeitsnachweis von CIM

1.3 Normungsbestrebungen

CIM erfordert den Einsatz dedizierter Automatisierungskomponenten, die eine optimale Bearbeitung der jeweiligen Aufgabe ermöglichen. Damit ergibt sich häufig eine heterogene Landschaft, wenn die Anwender nicht konsequent das nur bei wenigen Anbietern (z.B. Siemens) vorhandene komplette Produktspektrum für CIM einsetzen. Die Integration dieser z.T. herstellerbedingten Vielfalt an Komponenten erfordert übergreifende Normierungen z.B. für den Datenaustausch untereinander.

Die Normierung dieser heterogenen Landschaft ist notwendig für:

❏ akzeptable Kosten
❏ kurze Planungs- und Implementierungszeiten
❏ einfachen Austausch bzw. Ergänzung von kompatiblen Komponenten unterschiedlicher Hersteller
❏ usw.

Aus diesen Überlegungen heraus wurden bereits vor einigen Jahren entsprechende Normungsaktivitäten in Angriff genommen. Ein Beispiel dafür ist die Normung von **Schnittstellen** zur Schaffung der offenen Kommunikation. Mit tiefergehenden Erkenntnissen bezüglich der sich abzeichnenden CIM-Strukturen zeigte sich später, daß auch eine Normung der Funktions-**Strukturen** für eine offene CIM-Architektur notwendig ist.

Wie aufwendig diese Normierungsaufgaben sind, zeigt eine Kostenabschätzung des DIN (Fachbericht 15). Darin heißt es, daß in den nächsten 5 – 7 Jahren in der Bundesrepublik ein Handlungsbedarf für CIM-Normungsarbeiten mit einem Aufwand von ca. 1,2 Mrd. DM besteht. Dabei wurden folgende Normungspakete als vordringlich eingestuft:

❏ CAD
❏ NC-Verfahrenskette
❏ Produktionssteuerung und
❏ Auftragsabwicklung

Schnittstellennormen

Um von den derzeitigen Insellösungen zu einem Kommunikationsverbund zu kommen, sind bereichsübergreifend benötigte Informationen über geeignete Schnittstellen zur Verfügung zu stellen. Eine wesentliche Voraussetzung hierfür ist, daß für sämtliche Integrationserfordernisse geeignete Schnittstellen genormt und über entsprechende Hard- und Softwaremodule in den angebotenen Systemen unterstützt werden. Um die Vereinheitlichung der Schnittstellen anwendungsgerecht zu normen, bedarf es großer Anstrengungen von Seiten der Anwender und Anbieter.

Zum besseren Verständnis sollen kurz einige Normungsbestrebungen beschrieben werden:

ISO: In den 70er Jahren entwickelte die ISO (International Standards Organization) ein allgemeingültiges Modell, das Organisation und Ablauf einer Kommunikation zweier Partner in logische Einheiten unterteilt. Für die Kommunikation sind eine ganze Reihe von Voraussetzungen bei beiden Kommunikationspartnern zu erfüllen. Mit diesem Modell, das in sieben Schichten eingeteilt ist, ist es erstmals gelungen eine offene, d.h. herstellerunabhängige Kommunikation zu ermöglichen. Es wurde unter dem Namen OSI-7-Schichtenmodell (OSI =Open Systems Interconnection) weltweit bekannt und wird bereits von fast allen Anbietern verwendet (siehe Bild 1.3-1).

Mit der Normierung der offenen Kommunikation ist die Grundlage zur Verwirklichung von CIM aus technischer Sicht gelegt. Die offene Kommunikation selbst ist nicht CIM, sie ist notwendiges Rückgrat für CIM.

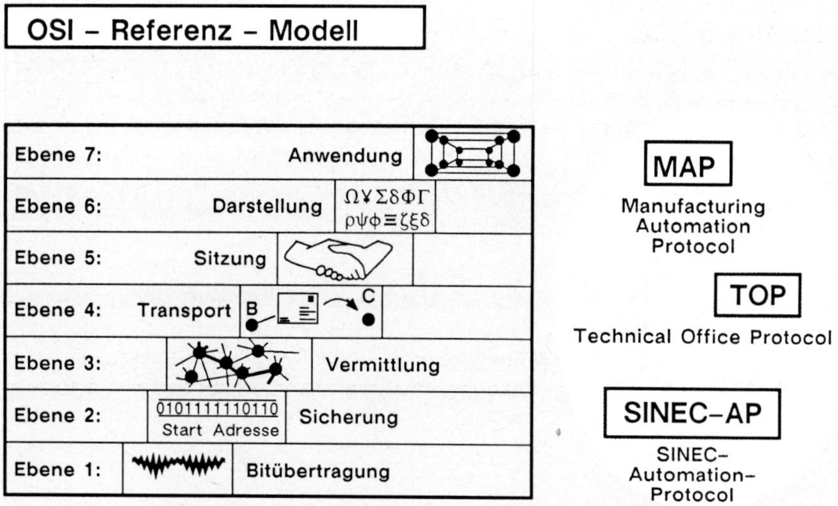

Bild 1.3-1: Normungsbestrebungen in der Kommunikation

IEEE 802: Nachdem, ebenfalls in den 70er Jahren, die ersten Installationen von lokalen Netzwerken bekannt wurden, hat die ANSI (American National Standard Institute) ein einheitliches LAN (Local Area Network) in Auftrag gegeben. Hieraus entwickelten sich die drei Hauptstandards:

- ❏ IEEE 802.3 = Ethernet Bus
- ❏ IEEE 802.4 = Token Bus
- ❏ IEEE 802.5 = Token Ring

MAP: Zentrale Bedeutung der Normungsbestrebung in den letzten Jahren ist durch das energische Eintreten des Automobilherstellers General Motors auf MAP gerichtet worden. MAP (Manufacturing Automation Protocol) ist dabei, ein defacto-Standard für die Kommunikation zwischen Automatisierungssystemen im Produktionsbereich zu werden. Das Protokoll basiert auf dem OSI-Referenzmodell. Allerdings reicht auch MAP nicht aus, um die gesamte Kommunikationshierarchie der Produktion abzudecken. Zum einen fehlen Performance und Dienste, zum anderen ist MAP nicht flexibel genug und noch zu teuer. MAP ist z.B. nicht geeignet, Daten in Realzeit zu übertragen, es ist nur für Filetransfer optimiert. Abhilfe soll hier mit der Entwicklung von EPA (Enhanced Protocol Architecture) bzw. Mini-MAP gemacht.

TOP: Unter dem Namen TOP (Technical and Office Protocol) hat die Firma Boeing ein Protokoll spezifiert, das auf die Anforderungen der Bürokommunikation und den dort verwendeten CSMA/CD-Netzen zugeschnitten ist. Bestandteil des TOP-Konzeptes war von vornherein der Datenaustausch mit MAP.

SINEC-AP (Automation Protocol): Es entspricht in allen Ebenen dem OSI-Referenzmodell. In den transportorientierten Ebenen (1 bis 4) kommen internationale Normen zum Einsatz. In den anwendungsorientierten Ebenen (5 bis 7) wurde aufgrund der derzeitigen Instabilitäten von MAP das SINEC-AP-Protokoll festgeschrieben. SINEC-AP ist das Siemens-Anwendungsprotokoll für eine einheitliche Kommunikation zwischen heterogenen Automatisierungssystemen über das SINEC-Bussystem. Es entwickelt sich derzeit zu einem Quasi-Standard in der Bundesrepublik.

Strukturnormen

Im Rahmen des Forschungsprojekts ESPRIT arbeiten 19 bedeutende DV-Hersteller und Anwenderfirmen gemeinsam an der Entwicklung einer offenen System-Architektur für CIM (OSA=Open System Architectur). Neben der Definition von Schnittstellen soll hier eine Abgrenzung der Funktionen von DV-Systemen und Subsystemen erfolgen. Dazu ist eine einheitliche Beschreibung der Funktionen: Erzeugung, Verarbeitung, Verteilung, Darstellung und Management notwendig.
Die CIM-OSA Referenz-Architektur enthält drei Referenzmodelle für:

❏ das Produktionsunternehmen
❏ den Informationsfluß und
❏ die CIM-Implementierung.

Die CIM-Implementierung beinhaltet Standard-Strukturen in Form von Richtlinien, auf die die Hersteller von CIM-Komponenten aufsetzen sollen, um kompatible Produkte und Subsysteme für eine unternehmensspezifische CIM-Lösung entwickeln und anbieten zu können.

Aus dem Referenzmodell für das Unternehmen wird unter Berücksichtigung der

spezifischen Unternehmensrandbedingungen ein angepaßtes Unternehmensmodell erstellt. Dieses Unternehmensmodell und das CIM-Implementierungs-Refer-
enzmodell sind die Basis für die Gestaltung des spezifischen Informations- und
Implementierungsmodells, das unternehmensspezifische Richtlinien über einzu-
setzende DV-Systeme, Maschinen und auch Personal vorgibt.

Die Kommission KCIM im DIN befaßt sich im wesentlichen mit der Beschreibung
bzw. Festlegung von Realisierungsvorgaben (Spezifikationen). Die Realisierung
und der Einsatz von "CIM-Produkten" entsprechend den vorgegebenen Normen
ist Aufgabe von den Anbietern in Zusammenarbeit mit den Anwendern.

Welche Normungs-Gremien und Arbeitsgruppen sich mit den unterschiedlichsten Normungsbetrebungen befassen, zeigt Bild 1.3-2 und die nachfolgende
Auflistung.

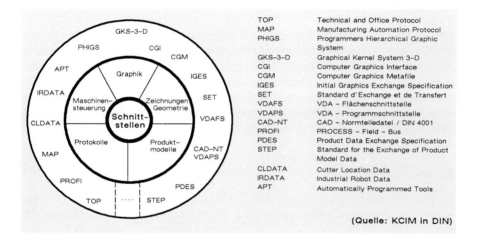

Bild 1.3-2: Schnittstellen-Normen im CIM-Bereich

Normungsgremien und Arbeitsgruppen

AECMA	Association Europeenne des Constructeurs de Materiel Aerospatial (Europa)
AFNOR	Association Francaise de Normalisation (F)
ANSI	American National Standards Institute (USA)
BSI	British Standards Institute (U.K.)
CAM-I	Computer Aided Manufacturing - International (USA)
CCITT	Comite Consultatip International Telefonique (Europa)
CEN	Comite Europeen de coordination des Normes (Europa)
CENELEC	Comite Europeen de Normalisation Electrotechnique (Europa)

CEPT	Conference Europeen des Administrations des Postes et des Telecommunications (Europa)
CAS	Corporation for Open Systems
DIN	Deutsches Institut für Normung (D)
DKE	Deutsche Elektrotechnische Kommission im DIN und VDE (D)
ECMA	European Computer Manufacturers Association (Europa)
EIA	Electronic Industries Association
EMUG	European MAP Users Group (Europa)
EWOS	Europiean Workshop on Open Systems
FKM	Forschungskuratorium Maschinenbau (D)
IEEE	Institute of Electrical and Electronic Engineers (USA)
ISA	Instrument Society of America (USA)
ISO	International Organization for Standardization (Int.)
ISO/IEC–JTC1	Joint Technical Comitee 1
ITAEG–M	Information Technology Advisory Experts Group on Manufacturing (Europa)
JICS	Japanese Industrial Standard Committee (Japan)
MAP–Top	User Group
MITI	Ministery of International Trade and Industry (Japan)
NAM–IA	Fachbereich Industrielle Automation im Normenaussschuß Maschinenbau (NAM) des DIN (D)
NBS	National Bureau of Standards (USA)
NEMA	National Electrical Manufacturers Association (USA)
NSM	Normenausschuß Sachmerkmale im DIN (D)
OSI–Top	Europäische Top–User–Group
POSI	Promoting conference for OSI (Japan)
RIA	Robot Industries Association (USA)
SCC	Standards Concil of Canada (Kanada)
SIS	Standardiseringskommissionen i Sverige (S)
SPAG	Standards Promotion and Advisory Group (Europa)
TAP	Transfer und Archivierung produktdefinierender Daten (D)
VDA	Verband der Automobilindustrie (D)
VDI	Verein Deutscher Ingenieure
VDMA	Verband Deutscher Maschinen– und Anlagenbau (D)
ZVEI	Zentralverband der Elektrotechnischen Industrie (D)

Der umfangreiche Prozeß einer CIM-Einführung sollte jedoch nicht mit der Begründung der Komplexität von CIM oder der Weiterentwicklung von Normen in die Zukunft geschoben werden. Nur der frühzeitige Einstieg in dieses Thema schafft das erforderliche Know-how, um die Vorteile neuer Technologien vor dem Mitbewerb zu nutzen.

2   Der Weg zu CIM

Das strategische Ziel eines Unternehmens ist stets die Sicherung des Erfolgspotentials für einen möglichst großen Zeitraum. CIM soll zur Sicherung dieses
Erfolgspotentials beitragen. Daran muß sich das Vorgehen bei der Einführung
von CIM ausrichten. Kurzfristige Ziele und augenblickliche Engpässe dürfen nicht
zu wichtigen Bestandteilen des CIM-Konzepts gemacht werden.

Für die Realisierung einer computerintegrierten Fertigung ist ein Zeitraum von
mehreren Jahren anzusetzen. Im ersten Schritt sind die vorhandenen betrieblichen Abläufe zu analysieren. Daraus sind Randbedingungen und Abhängigkeiten für den Lösungsansatz abzuleiten. Wurde bisher die Lösung singulärer
Aufgaben als ausreichend angesehen, so besteht heute kein Zweifel mehr
daran, daß Ablauf- und Aufbauorganisation ganzheitlich zu betrachten sind. Erst
mit dieser Vorgehensweise lassen sich über die singulären Aufgaben hinaus-
gehende Rationalisierungsreserven aktivieren. Bei CIM muß das gesamte Unternehmen einbezogen werden, beginnend bei dem Produktionsprogramm über die
Aufbauorganisation, die Ablauforganisation, den einzelnen an der Produktion beteiligten Bereichen, den Fertigungseinrichtungen (Layout der Fabrik, Maschinen,
Transport- und Informationssysteme) bishin zum Personal.

Um eine erfolgreiche Einführung von CIM zu gewährleisten, sind folgende Voraussetzungen zu schaffen:

- ❏ Es muß beim Unternehmer die Bereitschaft vorhanden sein, auch langfristig
  in CIM zu investieren.
- ❏ Es muß eine Führungs-Mannschaft aufgebaut werden, die die erforderlichen
  Kompetenzen erhält und professionell das gesamte CIM-Projekt managt.
- ❏ Das eingesetzte CIM-Management muß sich mit seiner Aufgabe identifi-
  zieren, d.h. auch bei bereichsübergreifenden Entscheidungen unpopuläre
  Maßnahmen ergreifen.
- ❏ Ein CIM-Konzept mit klaren Zielvorgaben muß erarbeitet werden.
- ❏ Die Unternehmensziele müssen mit den CIM-Zielen im Einklang stehen.
- ❏ Vorhersehbare Realisierungsprobleme müssen erkannt und untersucht wer-
  den.
- ❏ Die Realisierung muß in überschaubaren Schritten durchgeführt werden.

Diese Aspekte verdeutlichen, daß das Ziel nur durch ein strategisches Vorgehen
zu erreichen ist. Die erste Aktivität besteht somit in der Erarbeitung einer unternehmensspezifischen CIM-Strategie und in der Festlegung der Zielvorstellungen.

Erst wenn Notwendigkeit und Machbarkeit beurteilt worden sind und entsprechende CIM-Konzept-Alternativen erarbeitet wurden, kann die unternehmerische
Entscheidung für die Einführung von CIM getroffen werden.

Die Umsetzung der Zielvorstellungen in die Realität wird im Rahmen eines "CIM-Projekts" erfolgen.

Der Ablauf von CIM-Projekten ist prinzipiell mit anderen Projekten vergleichbar. Andererseits sind jedoch einige sehr wesentliche Besonderheiten zu berücksichtigen:

❏ der größere Umfang an Aufgaben
❏ der größere Umfang an Funktionen
❏ die längere Projektdauer
❏ die größere Integrationsaufgabe
❏ das engere Zusammenwirken zwischen Informations- und Fertigungstechnik
❏ die größere strategische Tragweite
❏ die größere finanzielle Tragweite
❏ die größere organisatorische Tragweite.

Die Bedeutung der genannten Kriterien erfordert ein umfangreiches Engagement der Unternehmensleitung. Die Hauptaufgaben liegen darin, im Rahmen des CIM-Konzepts, einen Generalbebauungsplan zu erarbeiten und die schrittweise Realisierung durchzuführen. Nur wenige Unternehmen werden diese Aufgabe aus eigener Kraft bewältigen können. Ein gemeinsames Vorgehen mit entsprechenden Partnern ist daher in allen Phasen des Projekts empfehlenswert.

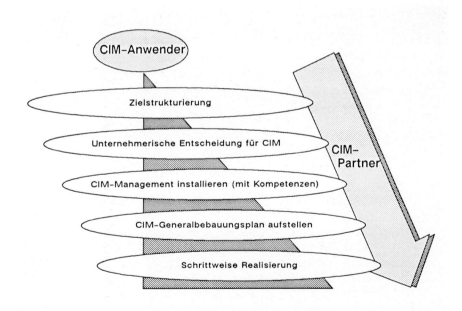

Bild 2.0-1: Anwender - Strategie

Die Entwicklung und Realisierung des betriebsspezifischen CIM-Konzepts ist eine bereichsübergreifende Aufgabe, die aufgrund ihrer Komplexität kein generalisiertes Top-Down-Vorgehen zuläßt, denn in diesem Verfahren werden, von einer übersichtlichen Grobplanung ausgehend, alle folgenden Stufen des Vorhabens bis ins Detail festgelegt. Diese Vorgehensweise hat den Nachteil, daß die sich bis zur Realisierung eines Projektes oft verändernden Planungsparameter nicht erneut regulativ mitberücksichtigt werden können. Das pragmatischere Bottom-Up-Vorgehen trägt in der Realisierungsphase technischen, zeitlichen, finanziellen und organisatorischen Aspekten besser Rechnung, läßt aber die Generalkonzeption vermissen.

Ein Mix aus beiden Verfahren ist daher zu bevorzugen; die Grobplanung (CIM-Konzept, Generalbebauungsplan) erfolgt im Top-Down-Ansatz und die Details (Teilprojekt-Konzeptionen) werden im Bottom-Up-Vorgehen in das Grobraster eingefügt.

Obwohl viele Unternehmen bereits die Vorteile einer CIM-Einführung erkannt haben, ist die Realisierung vielfach noch im Anfangsstadium. Nachfolgend werden daher die strategischen und konzeptionellen Ansätze näher beschrieben.

2.1 CIM – Strategie

Die Einführung von CIM bedarf einer sorgfältigen Planung des eigenen Vorgehens. Um den größten wirtschaftlichen Erfolg zu sichern, müssen möglichst viele beeinflussende Faktoren und eventuelle Störfaktoren berücksichtigt werden.

Eine entsprechende CIM-Strategie stützt sich auf drei wesentliche Maßnahmen:

- ❏ dem Aufbau einer CIM-Organisation
- ❏ der Zusammenarbeit mit CIM-Partnern
- ❏ der Entwicklung eines CIM-Konzeptes und dessen Umsetzung in die Realität.

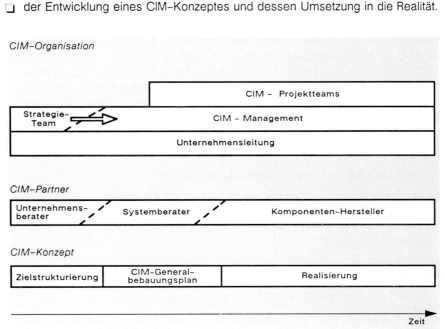

Bild 2.1-1:   CIM-Strategie

Die Einführung von CIM ist durch Entscheidungsprozesse geprägt, die zügig vorangetrieben werden müssen und sich nicht über viele Jahre hinausziehen dürfen. Das unterstreicht nocheinmal die Bedeutung der engagierten Mitarbeit der Unternehmensleitung insbesondere bei der Umsetzung strategischer und konzeptioneller Maßnahmen.

Für den Erfolg der strategischen Planung für eine CIM-Einführung sind u.a. folgende Faktoren zu beachten und in die Strategie einfließen zu lassen:

❑   **Know-how-Träger**
❑   **organisatorische Veränderungen**
❑   **Gestaltung der Produktionstechnik**
❑   **erforderliche DV-Technik**
❑   **Qualifikation des vorhandenen Personals**
❑   **Akzeptanz.**

Know-how-Träger:

Zu Beginn des CIM-Vorhabens verfügt ein Unternehmen selten über genügend erfahrene Fachleute. Um sich das notwendige CIM-Know-how anzueignen, muß sich das Unternehmen sehr intensiv mit der CIM-Thematik beschäftigen. Hierzu fehlen aber normalerweise ausreichende Voraussetzungen. Für ein strategisch vernünftiges Vorgehen ist deshalb meist eine gute Beratung von einem erfahrenen Partner erforderlich. Die Kosten werden durch Zeitgewinn und das Vermeiden von Fehlinvestitionen schnell wieder hereingespielt.

Das Hinzuziehen von externen Beratern verbessert im allgemeinen die fachliche Qualität der Strategieplanung und zeigt gezielter und neutraler die Stärken und Schwächen eines Unternehmens auf.

Organisation:

Eine auf CIM ausgerichtete Produktionsstruktur fördert:

❑   die Reduzierung der Gesamtdurchlaufzeit von der Angebots- und Entwicklungsbearbeitung bis zur Auftragsbearbeitung durch die Verminderung der Transport-, Liege-und Übergabezeiten sowie durch den Übergang zur simultanen Bearbeitung,

❑   die Erhöhung der Produktivität durch das Entfallen der wiederholten manuellen Datenerfassung, -aufbereitungen und -verteilungen durch die Möglichkeiten der Realisierung einer Datendurchgängigkeit und

❑   die Nutzbarkeit und Pflege gemeinsamer funktions- und bereichsübergreifender Datenbasen.

Die Unternehmensorganisation erfordert zwingend die Abkehr von dem zentralen Entscheidungsprinzip und einen Übergang zur koordinierten Dezentralisierung mit zentraler Koordinierungsinstanz. Es geht bei der Gestaltung einer Unternehmensorganisation weniger darum, einen einzelnen Arbeitsvorgang schnell zu erledigen als vielmehr darum, die Auftragsgesamtdurchlaufzeit zu minimieren.

Die zentrale Koordinierungsinstanz hat die Aufgabe, die Durchlaufzeit des Auftrags optimal zu reduzieren und stellt es in die Verantwortlichkeit der dezentralen Einheiten, wann und wo (z.B. Maschine ...) der Auftrag oder die Arbeitsfolge im Rahmen des vorgegebenen Entscheidungsfreiraumes exakt bearbeitet wird. Die eigentliche Datenverarbeitung (HW, SW) muß funktional betrachtet werden.

Bei Garantie der Funktionalität und offener Kommunikationsfähigkeit eines DV–Elementes spielen Programmiersprachen, Betriebssysteme etc. nur eine untergeordnete Rolle.

Produktionstechnik

Bei der Automatisierung der Fertigung ist die Verbesserung der Flexibilität bei gleichzeitiger Produktionskostenreduzierung der wesentliche Leitgedanke. Das führt zum forcierten Einsatz von programmierbaren Maschinen (CNC, DNC) sowie Handhabungs– und Transportsystemen (Roboter, FTS, EHB, etc.).
Es reicht jedoch nicht aus, bisher manuell ausgeführte Arbeitsgänge zu automatisieren ohne vorher die Arbeitsablaufstruktur kritisch zu analysieren. Denn große Einsparungspotentiale liegen oft in der Vereinfachung der Abläufe. Als Beispiel sei hier der im Vergleich zur Vorfertigung nur wenig automatisierte Montagebereich genannt. Dort lassen sich Fügeprozesse oft durch geringe Produktänderungen vereinfachen oder in ihrer Anzahl reduzieren. Eine engere Zusammenarbeit von Montageplanern und Konstrukteuren erschließt hier ein großes Rationalisierungspotential.

Das innerbetriebliche Transportaufkommen läßt sich durch die Zusammenfassung von Maschinen zu flexiblen Fertigungssystemen mit kleinen, dezentralen Pufferungsmöglichkeiten erheblich reduzieren. In solchen Systemen werden mehrere Arbeitsschritte zu einer Komplettbearbeitung zusammengefaßt. Die Werkstückhandhabung wird wesentlich vereinfacht und die Qualität gleichzeitig erheblich erhöht, wenn z.B. das Werkstück bei mehreren Arbeitsgängen auf demselben Werkstückträger eingespannt bleiben kann.

Viele Maschinen verfügen bereits heute über Werkzeugspeicher– und –wechselsysteme. Zukünftig werden Standzeiten, Schneidgeometrie u.a. Zustandsgrößen der Werkzeuge durch automatische Meßsysteme überwacht und ausgewertet. Damit können Fertigungssysteme über eine gewisse Zeitspanne autark arbeiten, z.B. während Pausen oder in einer mannarmen Schicht.

Immer wichtiger wird bei diesen Systemen die Integration in das Gesamtsystem. Material– und Informationsflußschnittstellen müssen mit benachbarten Systemeinheiten, mit Standard-Transportsystemen harmonisieren. Benachbarte Systeme und überlagerte Rechnersysteme müssen problemlos miteinander kommunizieren können.

DV–Technik

Eine zentrale Forderung bei der Realisierung von CIM ist der durchgängige Informationsfluß. Für die Realisierung einer rechnerunterstützten Kommunikation benötigt man eine Hierarchie von Kommunikationsnetzen. Die Kommunikationseinrichtungen sind unter Berücksichtigung notwendiger Zeit- und Konsistenzbedingungen zu planen und zu realisieren. Informationsintegration bedeutet aber nicht nur Datenkommunikation zwischen Rechnern. Eine Steigerung des Informationsgehaltes ist nur zu erreichen, wenn eine für alle Bereiche einzuhaltende Vereinbarung über die Bedeutung und die Semantik der gespeicherten und transferierten Daten festgelegt wird. Digitale Daten werden zu verwendbaren Informationen, sobald die Daten in gleicher Weise vom Sender und Empfänger interpretiert werden können. Es ist daher von besonderer Bedeutung und damit einer der tragenden Erfolgsfaktoren, wenn in einem Informationsverbund heterogener Rechnersysteme (unterschiedlicher Hersteller) Protokolle für eine einheitliche Kommunikation definiert und standardisiert werden.

Personal-Qualifikation

Mit einer motivierten, gut ausgebildeten Mannschaft kann mehr erreicht werden, als durch den Einsatz von Kapital. Die "Fabrik der Zukunft" hat nicht die Vision einer menschenleeren Fabrik vor Augen. Es werden lediglich in einzelnen Fertigungsbereichen vollautomatisierte Inseln geschaffen. Der Mensch wird weiterhin ein unverzichtbarer Bestandteil des Fabrikationsprozesses bleiben. Mit dem Grad der Automatisierung steigt allerdings die Qualifikationsanforderung am Arbeitsplatz.

Es genügt nicht mehr, die Funktionen einer einzigen Maschine zu beherrschen, sondern die Mitarbeiter werden komplexere Prozesse zu überwachen haben. Diese stellen hohe Anforderungen an die Qualifikation und erfordern die Fähigkeit systematisch zu denken. Die Verlagerung und Ausweitung der Arbeitsinhalte geht mit der Erhöhung der Verantwortung des einzelnen Mitarbeiters einher.

Der planende Ingenieur muß sich deshalb im klaren sein, daß von seiner Arbeit der Erfolg des Produktionsprozesses abhängt. Diese hohe Verantwortung erfordert die Fähigkeit, die Gesamtzusammenhänge zu erkennen und deren Wirkungen zu erfassen.

Die Mitarbeiter müssen daher durch langfristige Weiterbildung kontinuierlich an die Beherrschung der neuen Techniken herangeführt werden und dies nicht erst bei der Inbetriebnahme der neuen Maschinen und Systeme. Die Verantwortung des Mitarbeiters an der Maschine wächst mit der Verfügbarkeit von Informationen am Terminal und an der Werkzeugmaschine. Zur Übernahme dieser Verantwortung muß das Personal vorbereitet werden.

Auch im Management muß sich ein Umdenken vollziehen. Das Management muß sich auf die neuen Techniken einstellen und die vorhandenen Lücken in einigen Wissensgebieten schließen.

Der Prozeß der Anpassung von Qualifikation an Technik und von Technik an Qualifikation muß heute anders bewertet werden. Die Technik ist in diesem Sinn nicht mehr autonom. Nur eine Abstimmung zwischen der Technik auf der einen Seite und den Qualifikationen und den Wünschen der betroffenen Arbeitnehmer auf der anderen Seite kann zu einem funktionierenden Mensch–Maschine–System führen.

Die durch die neuen Produktionsstrukturen hervorgerufenen Veränderungen stellen aber nicht nur neue Anforderungen an die zukünftigen Mitarbeiter, es muß auch von Schule, Ausbildung und insbesondere den Universitäten dazu beigetragen werden, daß die zukünftigen Absolventen nicht nur Spezialisten in ihrem eigentlichen Fachgebiet sind, sondern gleichzeitig die Fähigkeit mitbringen, sich in ganzheitliche Lösungen einzuarbeiten.

Akzeptanz:

Mit der neuen Technologie zu arbeiten, bedeutet nicht nur die Technik zu kaufen. Vor allem heißt es, das Umfeld im Hinblick auf

– Organisation
– Arbeitsinhalt und –umfang
– Kommunikationsbeziehungen
– persönliche Entfaltungsmöglichkeiten

aufzubereiten. Damit ist eine wesentliche Voraussetzung für die Akzeptanz der neuen Technologien geschaffen. Akzeptanz ist aber eine Voraussetzung für Nutzen und Produktivität.

Mit "Akzeptanz schaffen" ist hierbei nicht das nachträgliche Verbessern von Strategiefehlern gemeint, sondern die Durchführung eines kooperativen Planungsprozesses vor der Einführung der CIM-Technik.
Akzeptanz ist aber nicht nur bei den Mitarbeitern, sondern auch beim Betriebsrat zu erreichen. Bisherige Projekte haben immer wieder gezeigt, daß der Betriebsrat das Konzept mißtrauisch beurteilt, wenn er an dessen Erstellung nicht beteiligt war. Nur wenn er von Anfang an in den Planungsgesprächen mitwirken kann, wird er das Ziel von CIM richtig beurteilen und dann auch die notwendigen Maßnahmen vor der Belegschaft mittragen.

2.2 CIM-Organisation

Vor der unternehmerischen Entscheidung für die Einführung von CIM steht die Zielstrukturierung und die Erarbeitung der Leitlinien (CIM-Konzept) für die Umsetzung in die Realität. Dies ist eine Aufgabe, die nur von der Unternehmensleitung mit eventueller Unterstützung eines Strategieteams durchgeführt werden kann. Das Strategieteam hat dabei betriebliche Randbedingungen und Einflüsse zu untersuchen und daraus Zielstrukturen, Leitlinien und die Umsetzungsstrategie abzuleiten. Die Entscheidung für die Realisierung eines CIM-Konzeptes impliziert den Aufbau einer CIM-Organisation, insbesondere die Installierung eines CIM-Managements.

Die Aufgabe des CIM-Managements besteht darin, den CIM-Gedanken erfolgreich in die Realität des Unternehmens umzusetzen, d.h. auf Basis des CIM-Konzeptes einen Generalbebauungsplan zu erstellen und die Realisierung durchzuführen. Den Aufbau einer rechnerintegrierten Fabrik zu managen heißt, viele aufeinander abgestimmte Einzelschritte in die Wege zu leiten, ohne dabei das gemeinsame Endziel aus den Augen zu verlieren. Der bereichsübergreifende und langfristige Charakter der CIM-Einführung erfordert eine konzentrierte Aktion aller Beteiligten und verlangt Manager mit strategisch langfristigem Denken. Bei der Entscheidung für CIM handelt es sich um eine unternehmensstrategische Entscheidung, die eine langfristige Vorausplanung und Stehvermögen während der Einführungsphase erfordert. Deshalb führt die Verlagerung der CIM-Einführung auf die Sachbearbeiterebene, bei der sich die Unternehmensleitung letztlich nur noch die Entscheidung über die Freigabe der Investitionsmittel vorbehält, nicht zum Ziel.

Durch die abteilungsübergreifende Tätigkeit muß das CIM-Management-Team direkt der Geschäftsführung unterstellt sein und deren Vertrauen und Unterstützung besitzen.

Der Erfolg der CIM-Einführung hängt ganz wesentlich von den Fähigkeiten der Team-Mitglieder ab, die komplexen, betrieblichen Zusammenhänge zu überschauen und modellhafte Vorstellungen zu entwickeln. Inwieweit sie dazu von ihren alltäglichen Aufgaben entbunden werden müssen, ist im Einzelfall zu entscheiden. Zu berücksichtigen ist jedoch immer, daß bereichsübergreifende Konzeptionen nur von mit Kompetenzen ausgestatteten Team-Mitgliedern durchgesetzt werden können.

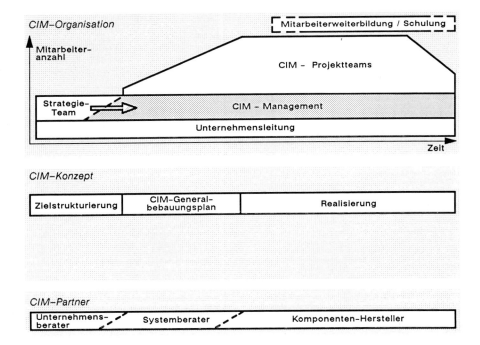

CIM-Organisation

Mitarbeiterweiterbildung / Schulung

Mitarbeiter-
anzahl

CIM - Projektteams

Strategie-
Team

CIM - Management

Unternehmensleitung

Zeit

CIM-Konzept

Zielstrukturierung	CIM-General-bebauungsplan	Realisierung

CIM-Partner

Unternehmens-berater	Systemberater	Komponenten-Hersteller

Bild 2.2-1: CIM-Organisation

Das CIM-Management hat u.a. zu entscheiden,

– welche CIM-Partner einzusetzen sind
– welche Ausbildungsmaßnahmen zu ergreifen sind
– welche organisatorischen Maßnahmen zu ergreifen sind
– welche technischen Maßnahmen zu ergreifen sind
– welche Teilprojekte in Angriff genommen werden sollen
– welche Ziele dabei zu verfolgen sind
– welche Organisationsstellen zu beteiligen sind
– wer die Verantwortung für die Durchführung von Teilprojekten trägt
– wie der zeitliche und finanzielle Rahmen aussieht
– wer für die Berichterstattung zuständig ist und wer diese entgegennimmt.

Zur Entlastung des CIM-Managements müssen CIM-Projektteams aufgebaut werden, die die einzelnen Themen detailliert erarbeiten. Die Projektorganisation ist der Betriebsgröße, den gesteckten Zielen sowie den geplanten Eigen- und Fremdleistungen anzupassen. Sie ist, wie in jedem Projekt, vom jeweiligen Status des Projektfortschrittes abhängig.

2.3 CIM-Partner

Zu Beginn der CIM-Überlegungen sollte die Unternehmensleitung in jedem Fall kritisch prüfen, ob das eigene Personal dem Anforderungsprofil zur Planung und Realisierung eines CIM-Vorhabens gerecht wird, oder ob es nötig ist, von Anfang an qualifizierte CIM-Partner hinzuzuziehen. Viele Unternehmen sind aus eigener Kraft nicht in der Lage, eine angemessene sorgfältige Untersuchung mit anschließender technischer und wirtschaftlicher Planung des Gesamtvorhabens durchzuführen.

Im Rahmen der Organisation des Projekts ist neben der Benennung der Projektleitung auch über die Zusammensetzung der einzelnen Teams (Strategie-, Projektteams) aus betriebseigenen Mitarbeitern und/oder externen CIM-Partnern zu entscheiden. In der Praxis hat sich die Bildung gemischter Arbeitsgruppen bewährt, da auf diese Weise sowohl die betriebsspezifischen Kenntnisse der eigenen Mitarbeiter aber auch die vielseitigen Erfahrungen und Vergleichsmöglichkeiten der externen CIM-Partner und deren Kenntnis im Umgang mit modernen Planungs- und Realisierungsmethoden und Hilfsmitteln genutzt werden können. Die folgende Tabelle zeigt die Vorteile in- und externer Mitarbeiter.

interne Mitarbeiter	externe CIM-Partner
Spezifische Betriebskenntnisse (Produkt, Verfahren, Organisation)	Vergleichsmöglichkeit zu anderen Projekten
Eingespielte Zusammenarbeit mit anderen Betriebsstellen	Keine Abhängigkeit von betrieblichen Hierarchiestrukturen
Bessere Wahrung von Betriebsgeheimnissen	Keine Zusatzbelastung betriebseigener Mitarbeiter
Meist geringere Kosten	Keine Betriebsblindheit
	Breite Erfahrungsbasis

Voraussetzung für die Zusammenarbeit mit externen CIM-Partnern ist die klare Festlegung von

- Aufgabenstellung und Zielsetzung
- Arbeitsumfang und Bearbeitungstiefe
- Art und Umfang der zu erwartenden Ergebnisse
- Rechten und Pflichten
- Zwischen- und Endterminen
- Geheimhaltungsklauseln
- internen und externen Projektleitern (CIM-Management)
- Honorar- und Kostenfragen.

Eine klare Festlegung aller für die CIM-Umsetzung wesentlichen Punkte erspart beiden Seiten Streitigkeiten und Diskussionen.

Innerhalb des Projektverlaufs sollten die CIM-Partner möglichst frühzeitig einbezogen werden, um Erfahrungen aus anderen Projekten bereits bei der Konzeptentwicklung mitberücksichtigen zu können. Aufgrund der Langfristigkeit und der Komplexität von CIM-Projekten bedarf es erfahrener Partner.

Für die unterschiedlichen Phasen des Projektes kommen folgende Partner in Betracht:

- Unternehmensberater
- Ingenieurbüros
- Gesamtanlagen-Planer
- Automatisierungssystem-Planer
- DV-System-Planer   } SIEMENS
- Generalunternehmer
- CIM-Komponentenlieferanten
- Projekt-Realisierungsteams

Wie in dem Bild 2.3-1 dargestellt, überlappen sich die Tätigkeitsgebiete der spezialisierten CIM-Partner sowohl zeitlich als auch inhaltlich. Es wird deutlich, daß die CIM-Partner neben ihrer Detailerfahrung auch Erfahrung in der Zusammenarbeit mit anderen Partner mitbringen müssen. Kooperierende Partner bzw. integrierte Partner sind daher zu bevorzugen.

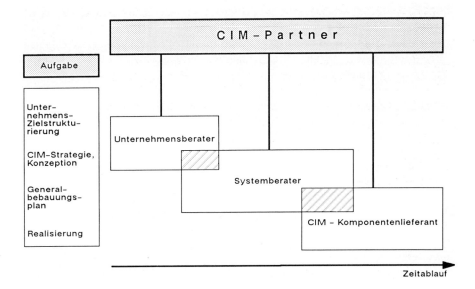

Bild 2.3-1: CIM-Partner

Unternehmensberater können die Unternehmen bei der Erstellung der Zielstruktur, sowie in Organisations- und Strategiefragen für CIM unterstützen.

Systemberater werden häufig erst nach der Ziel- und Strategiefindung zusätzlich zum eigenen Personal eingesetzt. Hierbei handelt es sich üblicherweise um Systemanalytiker, Systemplaner und Projektplaner von Planungsbüros, Anlagenlieferanten, Systemhäusern und DV- und Automatisierungsanlagen-Realisierern. Die Aufgabe liegt in der Erarbeitung der betriebsspezifischen CIM-Strategie und des CIM-Konzeptes und häufig auch in der Strukturierung einzelner Teilprojekte.

Die **Lieferanten** von CIM-Komponenten werden spätestens in den Realisierungsphasen der Teilprojekte als Partner benötigt, sofern sie nicht bereits bei der Systemberatung mitgewirkt haben (z.B. Siemens). Diese sind:

- **Software-Häuser / EDV-Systemhäuser** (z.B. Softwaremodule, Engineering, Service, ...)

- **Computerhersteller** (z.B. Computer, Kommunikationssysteme, Peripheriegeräte, Softwaremodule, Engineering, Service, ...)

- **Hersteller von Maschinen und Anlagen** (z.B. DNC-, CNC-Werkzeugmaschinensysteme, Transferstraßen, Großteilstufenpressen, Blechbearbeitungszentren, Montagerobotersysteme, ...)

- **Hersteller von Automatisierungsgeräten und -systemen** (z.B. Speicherprogrammierbare Steuerungen, Robotersteuerungen, CNC-Steuerungen, Identsysteme, Computer, Kommunikationssysteme, Softwaremodule, Engineering, Service, ...)
- **Hersteller von Transport- und Materialflußsystemen** (z.B. Fahrerlose Transportsysteme, Elektrohängebahnen, Bandfördersysteme, Portalkransysteme, Hochregallagersysteme, ...).

Hardwarehersteller waren schon immer als Berater von Bedeutung. Da die Erstellung und Anpassung der anwendungsspezifischen Software wegen der zunehmend umfangreicher werdenden Aufgaben immer aufwendiger wird, ist es heute unbedingt notwendig, die Softwarehersteller frühzeitig zur Beratung heranzuziehen. Interessant sind in diesem Zusammenhang Lieferanten, die ein großes Spektrum der oben genannten Profile in sich vereinen. Siemens z.B. kann den Anwender von der Systemberatung bis hin zur Realisierung durch Engineering- und Service-Leistung unterstützten. Dabei steht ein abgestimmtes Spektrum an Hardware von verschiedenen Automatisierungsgeräten, über Kommunikationssysteme bis hin zu Computern, Peripherie und zugehöriger Software zur Verfügung.

Die Realisierungsteams, die im Bild 2.1-1 nicht explizit eingezeichnet wurden, ergeben sich aus der jeweiligen Realisierungsphase und können sowohl aus internen als auch aus externen Mitarbeitern bestehen.

2.4 CIM-Konzept

Die Erarbeitung des auf die Belange eines Unternehmens abgestimmten CIM-Konzepts ist einer der wichtigsten Meilensteine zu Beginn eines CIM-Projekts. Es ist das Resultat aus strategischen Unternehmensüberlegungen und somit die Basis für die Umsetzung in die Realität. Bei einem Teil von CIM-Interessenten herrscht noch die Vorstellung, eine CIM-Lösung ließe sich einfach kaufen, einsetzen und anwenden. Folgende Aspekte zeigen, daß die CIM-Realisierung eine Vorgehensweise verlangt, die über das Projektieren einer normalen DV-Anlage hinausgeht:

- Ziel ist das Erreichen des technischen und wirtschaftlichen Gesamtoptimums
- bereits vorhandene Teilsysteme sind in das CIM-Konzept zu integrieren
- CIM-Konzepte sind stets unternehmensspezifische Lösungen, es gibt keine Standard-CIM-Lösung
- auf dem Markt erhältliche "CIM-Bausteine" unterstützten zwar die technischen Aspekte in einem CIM-Konzept, können jedoch nicht die CIM-Lösung selbst sein (Organisation, Funktionalität, Integration, ...)
- ein CIM-Konzept ist primär eine Organisationsaufgabe und erst sekundär eine technische Aufgabe.

Die nachfolgenden Darstellungen verdeutlichen den unternehmensspezifischen Charakter eines CIM-Konzepts.

Unabhängig von der Größe des angestrebten Projektumfangs gehen immer die Merkmale des Produkts bzw. der Produkte in das Konzept mit ein. Die verschiedenen Ausprägungen der einzelnen Merkmale bewirken z.T. erheblich unterschiedliche Konzept-Ansätze.

Varianten-zahl	keine	< 10	< 100	< 1.000	> 1.000
Produkt-lebenszyklus	< 1 Jahr	< 5	< 10	> 10	
Qualität	gering	mittel	hoch		
Komplexität	gering	mittel	hoch		
Stoffeigen-schaft	fest	flüssig	gasförmig	. . .	
Materialkost. an den Her-stellkosten	< 20 %	< 40 %	< 60 %	< 80 %	
Bestands-wert	gering	mittel	hoch		

Bild 2.4-1:   Produkt – Merkmale (Beispiele)

Eine mögliche aber durchaus sinnvolle und wirtschaftliche Variante von CIM-
Realisierungen wird mit dem **CIM-Strip-Konzept** abgedeckt. Dabei liegt die
Zielsetzung in der rechnergestützten Integration einer bestimmten Verfahrens-
kette. Ein Bespiel dafür ist die informationstechnische und organisatorische Verknüpfung von der Konstruktion über die Arbeitsvorbereitung bis zur Fertigung. Es
zeigt sich jedoch, daß nur ein begrenztes Teilespektrum mit ganz spezifischen
Anforderungen für diese Integrationsart geeignet ist (Teilefamilien). Dieses ist
nur durch die Analyse und Bewertung der Produkt- und Produktionsbereichs-
Merkmale (s. Bild 2.4-1 u. 2.4-2) erkennbar. Der Produktionscharakter
beeinflußt das CIM-Konzept sehr wesentlich.

Prozeß-art	Teilefertigung	kontinuier-licher Prozeß	gemischt		
Arbeitszeit-modell	eine Schicht	zwei Schichten	drei Schichten	dritte Schicht mannarm	
Technologien	Urformen	Umformen	Trennen	Fügen	. . .
derzeitige Automatisie-rungsstruk.	vorwiegend manuell	NC-Technik	EDV-gestützt z.B. DNC	Teil-Integration	Integration
Fertigungs-horizont	Stunden	Tage	Wochen	Monate	Jahre
Fertigungs-steuerungs-methode	klassisch (zentral)	belastgs.abh. Auftragsfrei-gabe (ABS)	Kanban	Fortschritts-zahlensystem	
Durchlaufzeit	Stunden	Tage	Wochen	Monate	Jahre
Organisation	funktionale Gliederung	produkt-orientiert	Matrix-organisation		

Bild 2.4-2:   Produktionsbereichs - Merkmale (Beispiele)

Die zweite Möglichkeit für CIM-Realisierungen wird mit einem **fertigungsorien-
tierten CIM-Konzept** verwirklicht. Das bedeutet, daß z.B. der gesamte End-
montagebereich (z.B. Automobilindustrie) oder auch eine entsprechende Pro-
duktionsstätte (z.B. Motorenfertigung) auf das Konzept ausgerichtet wird. Dabei
müssen die entsprechenden Merkmale (s. Bild 2.4-3) im CIM-Konzept mitberücksichtigt worden sein.

Das umfassendste aller CIM-Konzepte beinhaltet das Ziel der **Gesamtintegra-
tion** aller Fertigungs-, Planungs- und Entwicklungsbereiche, die an der Produktion eines Erzeugnisses beteiligt sind.

Erzeugnis-spektrum	kunden-spezifisch	typisierte Er-zeugnisse mit kundenspezif. Varianten	Standard-erzeugnisse m. Varianten	Standard-erzeugnisse o. Varianten	
Erzeugnis-stuktur	einteilig	mehrteilig, mit einfacher Struktur	mehrteilig, m. komplexer Struktur		
Auftragsaus-lösungsart	Produkt. auf Bestellung m. Einzelauftr.	Produkt. auf Bestellung m. Rahmenauftr.	Produktion auf Lager		
Dispositions-art	Kunden-auftrag	überwiegend Kundenauftr.	überwiegend Programm-aufträge	Programm-aufträge	
Beschaf-fungsart	Fremdbezug unbedeutend	Fremdbezug in größerem Umfang	weitest-gehender Fremdbezug		
Fertigungs-art	Einzel-fertigung	Einzel- u. Kleinserien-fertigung	Serien-fertigung	Massen-fertigung	
Fertigungs-ablaufart	Baustellen-fertigung	Werkstattfer-tigung (Ver-richtg.prinz.)	Fließ-fertigung	Flexible Fertigung	
Fertigungs-tiefe	gering	mittel	groß		

Bild 2.4-3: Produktionsstätten – Merkmale (Beispiele)

In diesem Fall wird das CIM-Konzept zusätzlich durch die unterschiedlichsten Kombinationen von Unternehmensmerkmalen geprägt (s. Bild 2.4-4).

Branche	Elektro-industrie	Maschinen-bau	Automobil-industrie	Verfahrens-industrie	. . .
Umsatz	< 10'	< 100'	< 1''	< 10''	> 10''
Mitarbeiter-zahl	< 100	< 1000	< 10 000	< 100 000	> 100 000
Organisa-tions-struktur	funktionale Gliederung	Produkt-orientiert	Matrix-Organisation		
Vertriebs-methode	Direkt-vertrieb	über Zweignieder-lassungen			
Standort	BRD	EG	europ. Ausland	USA	international
Automati-sierungs-Know-how	gering	mittel	groß		
Investitions-bereitschaft für CIM	< 0,01% vom Umsatz	< 0,1 %	< 1 %	> 1 %	. . .

Bild 2.4-4: Unternehmens – Merkmale (Beispiele)

Bereits die ausschnittsweise dargestellten Merkmale und deren Ausprägungen machen durch die Vielfältigkeit der Kombinationsmöglichkeiten den unternehmensspezifischen Charakter und die Komplexität des CIM-Konzepts deutlich.

Der Weg zum CIM-Konzept und von dort zur Realisierung wird im Bild 2.4-5 aufgezeigt.

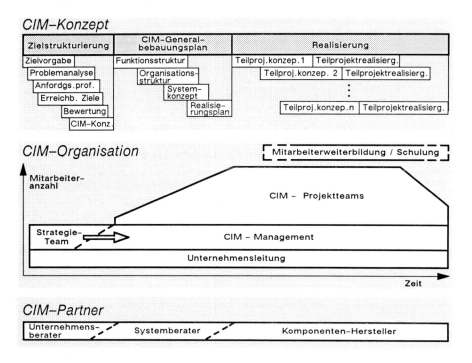

Bild 2.4-5:   CIM-Konzept

Den herkömmlichen Planungsstufen ist eine Zielstukturplanungsphase – oft auch Zielplanung genannt – vorgeschaltet. Das Ziel dabei ist u.a., Anhaltspunkte für die Durchführbarkeit eines CIM-Projektes und zur Konkretisierung der Aufgabenstellung zu geben. Durch die Zielplanung wird der Rahmen einer CIM-Umsetzung abgesteckt. Für alle Aufgabenstellungen gilt generell, daß die Zielsetzung anspruchsvoll, aber auch realisierbar sein muß und so eindeutig wie möglich festgelegt sein sollte. Das Ergebnis dieser Phase läßt sich als **CIM-Konzept** bezeichnen. Die Verfeinerung des Konzepts und die eigentliche Planung erfolgt in der nachfolgenden Erstellung des **CIM-Generalbebauungsplanes**. Daran schließt sich dann die **Realisierung** an.

Auf die Bedeutung und Inhalte dieser Phasen wird in den folgenden Unterkapiteln eingegangen.

Im Bild 2.4–5 werden zudem die zeitlichen Einstiegspunkte des Strategie-Teams, des CIM-Managements, der CIM-Partner und der CIM-Komponenten-Lieferanten dargestellt. Es soll außerdem deutlich gemacht werden, daß

- die Unternehmensleitung stets über den kompletten CIM-Projekt-Ablauf unterrichtet werden muß und die Gesamtverantwortung trägt,
- zunächst das Strategieteam aus der vorgegebenen Zielsetzung der Unternehmensleitung ein realisierbares CIM-Konzept festlegt,
- das CIM-Management, das sich meist aus dem Strategieteam rekrutiert, der Unternehmensleitung berichtet und verantwortlich für die Ausführung ist,
- die erarbeitete Zielstruktur, zwar – aufgrund der Langfristigkeit des CIM-Projekts – gewissen Änderungen unterliegen kann, jedoch für den CIM-Generalbebauungsplan als Grundlage dienen muß und
- die Schulungsmaßnahmen für die neue Technik rechtzeitig anlaufen müssen.

Der Planungsablauf verdeutlicht die funktionalen Verknüpfungen und die logisch-zeitliche Folge der wesentlichen Planungsschritte und bildet eine wichtige Voraussetzung für eine auf die Gesamtzielsetzung ausgerichtete Koordinierung der zahlreichen Teilaufgaben.

2.4.1   Zielstrukturierung

Aufgabe und Zielsetzung

Die Aufgabe innerhalb der ersten Phase des CIM-Projekts liegt in der Festlegung und Strukturierung der angestrebten Ziele in Form eines sogenannten CIM-Konzepts. Es wird aus den Unternehmenszielen unter Berücksichtigung von externen und internen Randbedingungen abgeleitet und dient als Leitlinie für die nachfolgende Erstellung des CIM-Generalbebauungsplanes. Die langen Planungs- und Realisierungszeiten bei der CIM-Einführung verleihen der Erstellung des CIM-Konzepts eine große Bedeutung. Es muß daher in Zusammenarbeit zwischen Unternehmensleitung und den einzelnen Fachabteilungen erstellt werden, um zu gewährleisten, daß gemeinsame Ziele verfolgt werden.

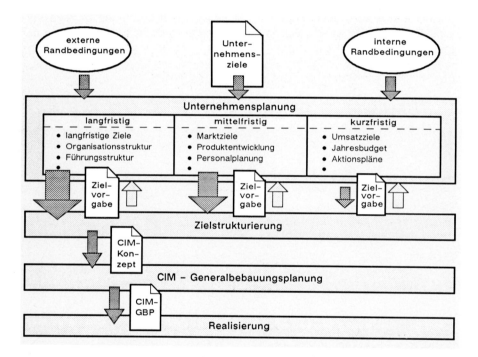

Bild 2.4.1-1:   Strategische Einbindung der Zielstrukturierung

Vorgehen

Die für die Zielstrukturierung und Konzepterstellung notwendigen Zielvorgaben sind das Ergebnis der Unternehmensplanung im Mittelfrist- und Langfrist-Bereich. Unter Orientierung an diesen Zielen wird eine Problemanalyse durchgeführt und aus den Ergebnissen ein ideales Anforderungsprofil erstellt. Nach

Spiegelung an der Machbarkeit möglicher Realisierungen können dann die erreichbaren Ziele festgelegt werden. Der Abgleich zwischen den idealen Zielen und den erreichbaren Zielen führt dann nach eventuell weiteren revolvierenden Druchläufen dieser Phase zu den erforderlichen Festlegungen und somit zum CIM–Konzept.

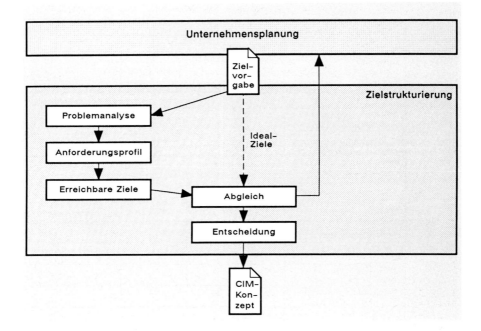

Bild 2.4.1–2:   Zielstrukturierung

Durchführung

Die Durchführung dieser Projektphase liegt im wesentlichen im Verantwortungs-bereich eines einzusetzenden Strategieteams. DIe Zielvorgabe und die Fest-legung des CIM-Konzepts erfolgt von der Unternehmensleitung in Zusammenar-beit mit den beteiligten Fachabteilungsleitungen.

Projekt-phase	Aufgabe		Unter-neh-mens-leitung	CIM-Man-age-ment	betroffene Abteilung		Stra-tegie-team	Sy-stem-analy.	HW-/SW-Spez.	Son-stige
					Leiter	Mit-arbei-ter				
Zielfest-legung	Zielvorgabe		v	b				b		b:U
	Pro-blem-ana-lyse	Zielanalyse					v			
		Stark-/Schwach-stellenerkennung			b	b	v	b	b	b:U
		Istaufnahme				b	v	b	b	b:U
		Schw.stell.analy.					v	b		
	Anforderungsprofil						v	b	b	b:B,U
	Erreichbare Ziele						v	b		b:B,U
	Be-wer-tung	Nutzwertanalyse					v			
		Aufwand-/Er-tragsanalyse					v			b:F,U
		Wirtschaftlichs-keitsnachweis			b		v			b:F,U
	CIM-Konzept Entscheidung		v		v	b				v:F b:B

Bild 2.4.1–3:   Phasenfunktionsdiagramm und beteiligte Stellen (Beispiel)

Legende:

B	*Betriebsrat*		*b*	*beratend*
F	*Finanzwesen*		*v*	*verantwortlich*
H	*Hersteller, Lieferanten*			
S	*Systemberater*			
U	*Unternehmensberater*			

Zielvorgabe

Als Anhaltspunkt für den Inhalt der Zielvorgaben soll die nachfolgende Tabelle dienen:

Fragestellung	Stichworte
Wo steht das Unternehmen ?	Umsatz, Marktanteil, Gewinn, Produkte, Technologie, Anlagen, Mitarbeiter, Know-how, ...
Welche CIM-Ziele sollen mittel- und langfristig erreicht werden ?	Steigerung von Marktanteil, Umsatz, Produktivität, Rentabilität, Sicherung von Arbeitsplätzen, Diversifikationen, ...
Welche Möglichkeiten bestehen ?	Kapazitätssteigerung, Rationalisierung Sortimentsbereinigung, Werbung, ...
Welche Möglichkeit soll realisiert werden ?	Bewertung, Prognose, Risikoabschätzung, Kosten-/Nutzen-Analyse, ...
Wer soll diese Aufgabe bis wann mit welchem Aufwand und Zielen durchführen ?	Aufgabe, Zielsetzung, Projektleitung, Teams, Termine, Kosten, ...

Problemanalyse

Die Aufgabe des Strategieteams besteht zunächst darin, eine **Problemanalyse** auf Basis der Zielvorgabe und unter Berücksichtigung der betrieblichen Gegebenheiten durchzuführen, d.h. es muß die Ausgangssituation im Unternehmen quantitativ und qualitativ erfaßt werden. Innerhalb der Problemanalyse ist festzustellen, welche Mängel bzw. Problemstellungen vorliegen, wo die Schwerpunkte der Einzeluntersuchungen liegen werden, wie die momentane Organisationsstruktur aussieht und welches Anforderungsprofil sich daraus ergibt, um den Zielvorgaben gerecht zu werden.

Die Problemanalyse selbst kann wiederum unterteilt werden in die

- Zielanalyse,
- Stark- und Schwachstellenerkennung,
- Ist-Aufnahme und
- Schwachstellenanalyse.

Bei der **Zielanalyse** müssen zunächst die Unternehmensbereiche, die von der Zielvorgabe berührt werden, eingegrenzt werden. Zugleich bedarf es einer Eingrenzung des Produktspektrums.

Bereits hier ist darauf zu achten, daß keine Insellösungen entstehen.

Anschließend müssen Analyseobjekte ausgewählt und genauer untersucht werden, z.B.:

Produktspektrum:
- Umsatzanteil
- Lebenszykluskurve
- Herstellungsaufwand
- ...

Organisation:
- Verantwortungsbereiche, Kompetenzstruktur
- Institutionalisierter Informationsaustausch
- Auftragsabwicklung
- ...

Tätigkeiten:
- Zeitliche Verteilung je Bereich
- Verteilung nach Mitarbeitergruppen
- ...

Unterlagen:
- Häufigkeit
- Erstellungsaufwand
- Erstellungs- und Nutzungsort
- ...

Produktionsmittel:
- Rechner
- Software
- Netze
- Automatisierungssysteme
- Fertigungsmaschinen
- Räumlichkeiten
- Planungshilfsmittel
- ...

Einflußgrößen:
- Mitarbeiterqualifikation, Personalsituation
- geplante zukünftige Marktposition
- Finanzpotential, Budgetvorgaben
- Art der Aufträge
- Zeiten von Spitzenauslastungen
- ...

Auflagen:
- Datenschutz
- Tarifrechtliche Regelung
- Steuer- und handelsrechtliche Regelung
- ...

Technik:
- Schnittstellen (Software)
- Funktionalität
- Zentrale/Dezentrale Strukturen
- ...

Der Schwerpunkt dieser Phase liegt in der Ist-Aufnahme und in der genauen **Stark-/Schwachstellen-Erkennung**. Die Funktionserfüllung der einzelnen Organisationseinheiten und deren Aktivitäten werden der Zielhierarchie – soweit sie das CIM-Projekt betreffen – zugeordnet. Indem jedem Ziel ein quantitativer

Erfüllungsgrad zugeordnet wird, treten hierbei die Stark- und Schwachstellen der untersuchten Unternehmensbereiche besonders deutlich hervor.

Nur mittels einer exakten **Ist-Aufnahme** erhält man die Kenntnis über die aktuellen Strukturen, Arbeitsweisen und Leistungen. Gute Einblicke in die organisatorische Gliederung sind notwendig und eine gute Problemanalyse kann nur in enger Zusammenarbeit mit den Mitarbeitern durchgeführt werden. Neben dem organisatorischen Ablauf muß das Betriebsgeschehen analysiert werden, d.h. die innerbetrieblichen Material- und Informationsflüsse sind zu erfassen und den Bereichen zuzuordnen.

Nach der Erfassung der Daten aus den unterschiedlichsten Bereichen müssen diese dann für die **Schwachstellenanalyse** aufbereitet werden. Hierzu gibt es verschiedenste Verfahren und Methoden, z.B. die Kennzahlenaufstellung, die ein geeignetes Hilfsmittel ist, um Vorgänge oder Daten mit anderen Vorgängen oder Daten vergleichen zu können. Im Rahmen von Materialflußauswertungen werden oft Transporttabellen oder das Sankey-Diagramm eingesetzt (Bild 2.4.1-4).

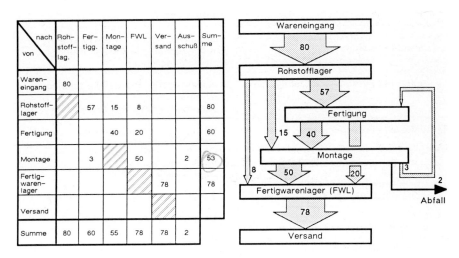

Bild 2.4.1-4: Von-Nach-Matrix / Sankey-Diagramm (Materialfluß)

Ausgangspunkt der Schwachstellenanalyse sind z.B. die im Rahmen der Ist-Aufnahme des Informationsflusses erfaßten Arbeitsabläufe. Schwachstellen im Arbeitsablauf können z.B. entstehen durch:

- unzureichende Informationsbereitstellung,
- zeitliche Engpässe in der Informationsübermittlung und -verarbeitung,
- wiederholte Erfassung und Aufbereitung derselben Informationen,
- Widersprüche oder Lücken bei Vorschriften und Vorgaben und
- Fehlen von Informationen oder deren mangelnde Aktualität.

Neben diesen Schwachstellen im Informationsbereich müssen alle anderen Bereiche (PPS, Fertigung, ...) zunächst autonom analysiert werden. Dabei sind nicht nur die Schwachstellen selbst, sondern deren Ursachen – zeitlich, personell, finanziell, technisch, etc. – objektiv zu ergründen. Ein weiterer Punkt ist die Aufdeckung von Unklarheiten und Widersprüchen in den Kompetenzen sowie Mängel in der Durchsetzung von Anweisungen.

Anforderungsprofil

Aus der Schwachstellen–Analyse läßt sich ein Maßnahmen–Anforderungsprofil ableiten. Dabei ist zu beachten, daß CIM zielorientiert erarbeitet wird um zu gewährleisten, daß es im Einklang mit den übergeordneten Unternehmenszielen steht.

Im Vordergrund steht dabei die Frage der Neutralisierung der erkannten Schwachstellen.

Beispiele:

Schwachstelle	Anforderung
zu hohe Durchlaufzeiten im PPS (Auftragsbearbeitung)	• organisatorische Verbesserungen • mehr technische Unterstützung • Ablaufänderungen
zu unflexible Fertigungseinrichtungen	• Neustrukturierung des Fertigungs-ablaufs • Automatisierung von Maschinen
zu unflexible Fertigungssteuerung	• Einsatz von DV–Systemen zur Optimierung der Fertigungssteuerung
zu hohe Fertigungsdurchlaufzeit	• Einsatz DV–gestützter Material-flußsysteme
zu hohe Produktions–Lager–Bestände	• Änderung des Fertigungsablaufes (z.B. FFS) • Optimierung des Materialflusses
hohe Fehlerhäufigkeit in der Zusam-menarbeit zwischen Konstruktion und Arbeitsvorbereitung	• Definition einheitlicher Schnittstellen • Einsatz von DV–Systemen für ge-normten Datentransfer

Erreichbare Ziele

Für die Entscheidung, in welchem Rahmen das Anforderungsprofil umgesetzt werden soll, ist eine ganzheitliche Bewertung der einzelnen Anforderungen erforderlich. Da noch keine detaillierten Angaben vorliegen, können in dieser Phase keine exakten Kosten–/Nutzenanalysen durchgeführt werden. Bei der Abschätzung der wesentlichen Punkte bedient man sich

- der Nutzwertanalyse,
- der Aufwand–/Ertragsanalyse und
- des Wirtschaftlichkeitsnachweises.

Die **Nutzwertanalyse** gibt einen Anhaltspunkt inwieweit die Anforderungsprofile quantitativ erfüllt werden können. Hieraus wird eine Vorselektion aus sachlicher und organisatorischer Sicht durchgeführt.

Die verbleibenden Vorschläge werden anschließend mittels der **Aufwand-/ Ertragsanalyse** auf ihre finanzielle Realisierbarkeit und im **Wirtschaftlichkeitsnachweis** (z.B. Portofolio) auf ihre Notwendigkeit und Rechtfertigung hin untersucht. Die Bewertungsphase muß die anschließende Entscheidung nach

- technischen
- organisatorischen
- zeitlichen
- wirtschaftlichen

Kriterien ermöglichen.

Entscheidung

Die Entscheidung für die Durchführung von CIM-Realisierungen beinhaltet die Festschreibung einer Zielstruktur (CIM-Konzept), die sich aus den Vorarbeiten der Vorphasen ergibt. Dieses CIM-Konzept ist die Ausgangsbasis für die Einsetzung des CIM-Managements und die Durchführung der CIM-Generalbebauungsplanung.

2.4.2   CIM-Generalbebauungsplanung

Zielsetzung

Der CIM-Generalbebauungsplan soll die organisierte, ganzheitliche Umsetzung des CIM-Konzepts in die Realisierung, auch über größere Zeiträume hinweg ermöglichen. Zahlreiche Beispiele der Schwierigkeiten bei der Integration von CIM-Teilrealisierungen zeigen, welche Folgen durch das Fehlen einer vorausschauenden Gesamtplanung hervorgerufen werden.

Der CIM-Generalbebauungsplan bildet die Grundlage für die Teilplanungen in der CIM-Realisierungsphase.

Er muß z.B. auf folgende Fragen Antwort geben:

- Wie soll der Funktionsablauf gestaltet werden?
- Wie ist die ideale, ablaufgerechte Zuordnung der Betriebseinheiten?
  (Haupt- und Nebenfunktionen im Betrieb)
- Welche Arbeitsschritte sind in welcher Reihenfolge erforderlich?
  (Fertigungspläne, Fertigungsaufträge, Laufkarten, Verfahrensbeschreibungen)
- Können Arbeitsplätze zusammengefaßt und zueinander geordnet werden?
  (Werkbank-, Baustellen-, Werkstätten-, Fließprinzip, Einzel-, Serien-, Massenfertigung)
- Wie sieht der optimale Materialfluß durch den Betrieb aus? (Fertigungsaufträge, Transport- und Kommunikationstabellen)
- Wie sieht der betriebsinterne optimale Informationsfluß aus?
  (Stücklisten, Formulare, Belege, Schnittstellen, Datenbasen)
- Welche Änderungen in der Ablauforganisation sind notwendig?
- Welche Konsequenzen ergeben sich für die Aufbauorganisation?
- In welche Teilprojekte kann das gesamte CIM-Projekt aufgeteilt werden?
- In welchen Realisierungsschritten soll vorgegangen werden?
- Auf welche Weise soll die Erweiterbarkeit sichergestellt werden (DV-Technik, Fertigung, Netze, Software, Hardware)?
- Auf welche Weise kann eine Akzeptanz erreicht werden?
- Wann müssen welche Schulungsmaßnahmen eingeleitet werden?

Vorgehen

Auf der Basis des abgestimmten und festgelegten CIM-Konzeptes sollte zunächst eine Idealplanung und erst daran anschließend die Realplanung durchgeführt werden. Damit ergibt sich eine objektivere Möglichkeit zur Beurteilung der realen Planung. Der methodische Ablauf der CIM-Generalbebauungsplanung unterscheidet sich prinzipell nicht von dem anderer Planungsvorhaben.

Allerdings liegt der Schwerpunkt in der Integration und in den sich daraus ergebenden Problemfeldern (z.B. Funktions-, Organisations-, DV-, Kommunikations-
struktur, etc.) und somit in der ganzheitlichen Planung

❑ des Funktionsablaufes
❑ des Materialflusses
❑ und des Daten- und Informationsflusses.

Das Planungsziel wird durch folgende Planungsschritte erreicht:

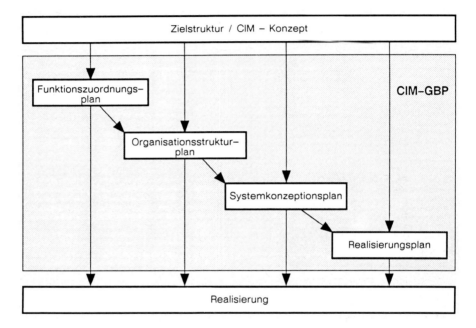

Bild 2.4.2-1:   CIM-Generalbebauungsplan

Durchführung

Die Durchführung der CIM-Generalbebauungsplanung liegt im Verantwortungs-
bereich des CIM-Managements. Entscheidungen werden von der Unternehmensleitung in Zusammenarbeit mit den betroffenen Fachbereichsleitern getroffen.

Projektphase	Aufgabe	Stellen	Unternehmensleitung	CIM-Management	Leiter	Mitarbeiter	Strategieteam	Systemanaly.	HW-/SW-Spez.	Sonstige
CIM-Generalbebauungsplan	Funktionszuordnung	vertikale Integr.			b	b		v	b	b:H, v:S
		horizontale Integration			b	b		v	b	b:H, v:S
		Entscheidung		v						
	Organisationsstruktur	Ablauforganisat.	v	b				b		
		Aufbauorganisat.								
		Funk.zuordng.	v	b						b:B
		Verantwortg.-zuordnung	v	b						b:B
		Entscheidung	v	v	v					b:B
	Systemkonzept	funkt. u. strukt. Anforderungen								
		Werkz.maschinen/Syst.		b		b		v	b	b:H,S
		DV-Anwend.systeme		b		b		v	b	b:H,S
		Rechnersysteme		b		b		v	b	b:H,S
		Netzwerksysteme		b				v	b	b:H,S
		Migration bestehender Systeme	v					b	v	b:H,S
		Wirtschaftlichkeitsbetrachtung	v					b		b:H,S
		Genehmigung	v	v	b					b:B,F
	Realisierungsplan	Modulare Aufteilung	v	b				b		b:H,S
		Reihenfolge	v	b						b:F,H
		Stufen- und Terminpläne		v				b	b	b:F,H
		Auswahl geeigneter Anbieter	v	b					b	b:H,S
		Komponentenauswahl	b	b					v	b:S
		Schulungsplan	v	b						b:B,H
		Istaufnahme			b	b		v		b:S
		Bewertung	v	b				b		b:F
	Entscheidung		v	b	b					

B   Betriebsrat
F   Finanzwesen
H   Hersteller, Lieferanten
S   Systemberater
U   Unternehmensberater
b   beratend
v   verantwortlich

Bild 2.4.2-2: Phasenfunktionsdiagramm und beteiligte Stellen (Beispiel)

Funktionszuordnung

Diese Phase der Planung beinhaltet die Erarbeitung eines idealen funktionalen Zuordnungsmodells für die durch das CIM-Konzept festgelegten Bereiche des Unternehmens. Durch Abgleich dieses Soll-Modells mit den angestrebten Zielen wird es zur sicheren Basis für das weitere Vorgehen bei der Planung.

Das Zuordnungsmodell gibt Auskunft über die informationstechnischen Verknüpfungen zwischen den einzelnen funktionalen Einheiten.

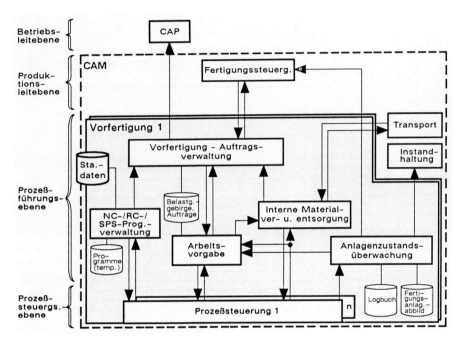

Bild 2.4.2-3: Beispiel: Vorfertigung (Interne Struktur)

Die Planung der Funktionszuordnung ist zunächst unabhängig von einzusetzenden DV-Systemen. Sie orientiert sich an den Zielen, den beeinflussenden Randbedingungen und den technischen und organisatorischen Notwendigkeiten. Das Ergebnis ist eine ideale, transparente Darstellung aller Funktionen, Funktionsabläufe, der Informations- und Materialflüsse und deren Beziehungen und Abhängigkeiten untereinander. Aus ihm lassen sich die weiteren Maßnahmen bezüglich organisatorischer Änderungen und technischer Realisierungen funktional ableiten. Ein Beispiel dafür ist die Frage nach dem Integrationsgrad, den man erreichen muß, um die Zielvorstellungen zu erfüllen. Man kann dazu zwischen vertikaler, horizontaler und Voll-Integration unterscheiden.

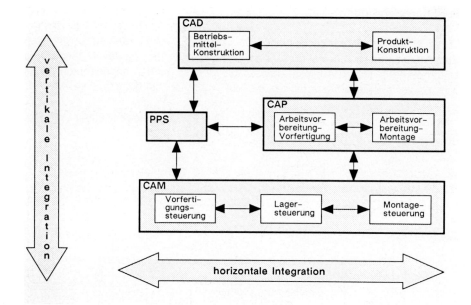

Bild 2.4.2–4: Funktionale Integrationsrichtung

Ein Beispiel für eine **horizontale Intregration** ist die Verknüpfung von verschiedenen Konstruktionsbereichen. Beispielsweise ist die Betriebsmittelkonstruktion sehr häufig abhängig von der Produktkonstruktion. Beide Arten können trotzdem nur sehr unterschiedlich durch Computer unterstützt werden. (z.B. Leiterplatten-CAD und ein Mechanik-CAD für die notwendigen Betriebsmittel). Durch einen normierten Datenaustausch kann kann jedoch auch hier die horizontale Integration erreicht werden.

Ein anderes Beispiel für horizontale Integration liegt im fertigungsnahen Bereich (CAM). Hier wird die Integration im wesentlichen durch fertigungstechnische Abhängigkeiten, die sich im Materialfluß wiederspiegeln, bestimmt. Daraus ergibt sich die Notwendigkeit, Daten von einem Bereich zum nächsten "mitzunehmen", was heute beispielsweise durch den Einsatz mobiler Datenträger zur Materialflußtuerung erreicht wird.

Die **vertikale Integration** ist erforderlich, wenn zeitlich und/oder hierarchisch ungleichartige Funktionsbereiche in Beziehung oder Abhängigkeit zueinander stehen. Beispiele hierfür sind notwendige Datenaustauschmöglichkeiten zwischen der Produktionsplanung und der Fertigungssteuerung (z.B. Fertigungsaufträge) oder zwischen der Arbeitsvorbereitung und der Fertigungssteuerung (z.B. NC-Programme).

Kapitel 3 befaßt sich nahezu ausschließlich mit der Ideal-Darstellung der Funktionszuordnungen und kann daher als Basis für eine unternehmensspezifische Planung herangezogen werden.

Organisationsstrukturplanung

Aus dem Vergleich der aktuellen Ablauf- und Aufbauorganisation des Unternehmens mit den Strukturen der Funktionszuordnungsplanung können sich Notwendigkeiten zu Umstrukturierungen ergeben.

Die Aufgabe dieser Phase liegt somit darin, diese Veränderungen auf der Basis der Zielvorstellungen unter Berücksichtigung von Randbedingungen vorzuplanen und für die Umsetzung festzulegen.

Dazu muß die Organisation unter zwei Gesichtspunkten betrachtet werden:

1. Orgsanisationsstruktur:
   Betrachtung der Aufgabenträger
   (Personen, Abteilungen, Betriebe)
2. Arbeitsabläufe:
   Betrachtung des Weges der Arbeitsobjekte (z.B. Werkstücke, Informationen, Anweisungen etc.) durch den Betrieb und Betrachtung der Einwirkung der betroffenen Stellen auf den Weg.

Genaue Untersuchungen der bestehenden Aufbau- und Ablauforganisation sind erforderlich, wenn diese nicht bereits bei den Schwachstellenanalysen der Zielstrukturierung erfolgt sind. Eine Behebung erkannter Engpässe kann nicht an den Symptomen erfolgen, sondern muß an den Ursachen angesetzt werden.

Die im Bild 2.4.2-5 beispielhaft dargestellten Symptome und ihre Ursachen deuten darauf hin, daß viele Schwachstellen im organisatorischen Bereich zu finden sind.

Symptome	1. Kausalität interne Ursache	2. Kausalität interne Ursache	3. Kausalität externe Ursachen
lange Dienstwege, mehrfache, widersprüchliche Regelungen für dieselbe Sachlage, Kompetenzüberschneidungen	Bürokratie: Überorganisation, eher durch unkontrolliert gewachsene Strukturen als durch zu viel Organisationsarbeit entstanden	schnelles Unternehmenswachstum einseitig interessierte Führung z. B. nur technisch	starkes Wirtschaftswachstum, Eigentums-/Beteiligungsverhältnisse

Bild 2.4.2-5: Symptome und mögliche Ursachen (Teil 1)

Symptome	1. Kausalität interne Ursache	2. Kausalität interne Ursache	3. Kausalität externe Ursachen
zu hohe Belastung der Vorgesetzten, Doppelarbeiten fehlende oder zu späte Informationen, zu späte Berichte, starke Planungsabweichungen	zu viele Rückfragen Koordinationsmängel: Unterorganisation weil zu wenig Organisationsarbeit oder zu wenig Durchsetzung	einseitige Führung, fehlende Akzeptanz für Neuerungen durch fehlende Motivation und Schulung	Eigentums-/ Beteiligungsverhältnisse, Akzeptanz kein Objekt von Forschung und Lehre, kaum Literatur
Überstunden	mangelnde Rationalisierung, fehlende Personalkapazität	veraltete Ausrüstung, fehlende Bedarfsrechnungen	Konjunkturprobleme in der Branche, erhöhtes Auftragsvolumen
Lieferprobleme	fehlende Rationalisierung der Materialwirtschaft	Informationsmedien nicht voll genutzt	Engpässe am Beschaffungsmarkt
zu hohe Kosten, zurückgehender Umsatz oder Gewinn	fehlende Rationalisierung in Technik und Verwaltung	Verzögerung von Investitionen in Produktions- und Informationsausrüstung	schnelle technische Entwicklung, verschärfte Wettbewerbssituation
Fluktuation, erhöhter Krankheitsstand	schlechtes Betriebsklima, unterdurchschnittliche Bezahlung	mangelnde Führung, fehlende Transparenz für Mitarbeiter weil Unterorganisation, fehlende Personalpolitik	Arbeitsmarktentwicklungen

Bild 2.4.2-5: Symptome und mögliche Ursachen (Teil 2)

Die **Ablauforganisation** wird im wesentlichen vom Produkt und der Art seiner Herstellung in Abhängigkeit von den Unternehmenszielen geprägt.

Häufig erschweren zusätzliche Forderungen mit möglicherweise gegenläufigen Tendenzen die Planung dieser Struktur. Wenn z.B. den Forderungen nach kurzer Auftragsdurchlaufzeit, niedrigen Beständen und hoher Kapazitätsauslastung Rechnung getragen werden soll, müßte der Ablauf nach dem **Fließprinzip** organisiert werden. Das würde jedoch den Verzicht auf Flexibilität bedeuten. Diese erhält man wiederum in einer flexibel organisierten Fertigung, jedoch mit dem Nachteil, daß eine maximale Kapazitätsauslastung nicht mehr möglich ist. Die nicht genutzte Fertigungskapazität würde dann wieder zu erhöhten Herstellungskosten führen.

Ein weiteres Beispiel ist die Organisation nach dem Verrichtungsprinzip.

Hier sind ablaufbedingte Wartezeiten, aber auch Maschinenstillstandszeiten oft unvermeidbar. Durch eine entsprechende Einlastung der Fertigungsaufträge kann zwar die Kapazitätsauslastung verbessert werden, dies wiederum führt jedoch meist zur Erhöhung der Durchlaufzeiten.

Die Beispiele machen deutlich, daß es in der Organisationsstrukturphase sehr wichtig ist, die angestrebte Struktur der Arbeitssysteme eindeutig darzustellen. Nur so kann evtl. eine Neuorientierung der Ablauforganisation erreicht werden. Vorteilhaft ist es, die Ablauforganisation weg von der funktionsorientierten hin zur prozeßorientierten Ablauforganisation zu entwickeln. Natürlich läßt sich dies nicht generell durchführen, da schon allein die vorhandenen Arbeitssysteme (z.B. Einzel-, Serien-, Sorten-, Partie- und Chargenfertigung) bestimmte Fertigungsorganisationen nicht zulassen.

Im Fertigungsbereich liegt eine enge Verknüpfung zwischen Material- und Informationsfluß vor. Mit der Festlegung der Ablauforganisation, den Fertigungsverfahren/-prinzipien wird der Materialfluß festgelegt und somit auch der Informationsfluß sehr wesentlich geprägt.

Eine ebenso große Bedeutung hat das Zusammenwirken von Informationsfluß und **Aufbauorganisation.** Es wird z.T. unumgänglich sein, im Sinne horizontaler und insbesondere vertikaler Integrationsbestrebungen Anpassungen in der Aufbauorganisaton durchzuführen. Durch DV-Unterstützung ist z.B. eine neue Qualität von Entscheidungsmöglichkeiten in den einzelnen Hierarchie-Ebenen des Unternehmens möglich. Die Delegierung von Entscheidungen in dezentrale Einheiten führt zu Strukturveränderungen. Ein einfaches Beispiel betrifft das "Vorort-Personal". Hatte dieses Personal bisher nur die Verantwortung für ein spezielles Gebiet (z.B. Einrichten von Maschinen, Instandhalten von Maschinen etc.), wird es in Zukunft nur noch Maschinen-Personal geben, das die Vor-Ort-Qualitätssicherung und -Instandhaltung mitübernimmt und somit produkt- und anlagenverantwortlich tätig ist. Dieser geforderten Qualifikation muß frühzeitig mit entsprechender Ausbildung (z.B. Doppel-Ausbildung) Rechnung getragen werden.

Ein anderes Beispiel betrifft den Einsatz von DV- und Automatisierungssystemen. Die hier erforderlichen Datenerfassungen und Datenhaltungen ergeben neue Organsationsanforderungen z.B. bezüglich der Datenverantwortlichkeit (Konsistenz, Aktualität, Pflege etc.).

Die Aufbauorganisation muß u.a. auf folgende Punkte hin untersucht werden:

❑ Verantwortungsbereiche von Personen, Gruppen, Abteilungen, Leitungen
❑ Aufgabenbeschreibung von Personen, Gruppen, Abteilungen, Leitungen

- ❑ Zuordnung von Stabsstellen
- ❑ Aufgabenbeschreibung von Stabsstellen
- ❑ Zuordnung von Kontrollinstanzen (z.B. Qualitätswesen)
- ❑ Einhaltung von Zuständigkeiten
- ❑ Überschneidung von Zuständigkeiten
- ❑ Zuordnung und Aufgabe von sonstigen koordinierenden Bereichen (z.B. CIM-Management)

Veränderungen und Anpassungen sind im Zusammenspiel von Informationsfluß und Ablauforganisation zu planen. Die Tragweite von Entscheidungen in dieser Phase bedarf einer intensiven Zusammenarbeit zwischen dem CIM-Management und den betroffenen Abteilungen und nicht zuletzt mit dem Betriebsrat. Nur wenn die Organisationsanpassungen von dieser breiten Basis getragen werden, ist ein Mindestmaß an Akzeptanz und späterer Realisierungserfolg garantiert.

Systemkonzeptplanung

Nachdem in den beiden vorangegangenen Phasen aus den idealen Zielvorstellungen (CIM-Konzept) der Funktionszuordnungs- und der Organisationsstrukturplan ausgearbeitet wurden, müssen jetzt die daraus gewonnenen funktionalen und strukturellen Anforderungen in die Planung von konkreten technischen Systemen umgesetzt werden. Es muß die ideale Zuordnung der Betriebsbereiche mit den realen Erfordernissen und Möglichkeiten sowie den verschiedensten Restriktionen in möglichst weitgehende Übereinstimmung gebracht werden.

In dieser Phase liegt der Schwerpunkt auf dem informationstechnischen Systementwurf und den relevanten Vorgehensweisen. Natürlich darf dabei nicht der Eindruck entstehen, CIM-Projekte seien nur DV-Projekte. Dies stimmt sicherlich nicht, denn im Rahmen der Grob- und Ausführungsplanung (Systemkonzept, Realisierungsplan) müssen auch die Fertigungsstätten in Bezug auf die Möglichkeiten der Einbindung von vorhandenen und auch neuen Maschinen, Anlagen, Transport-, Automatisierungssystemen, etc. berücksichtigt werden.

Ziel der Systemkonzeptplanung ist es eine Planung im Sinne der Erstellung eines informationstechnischen Grobkonzepts zu erzeugen. Diese Aufgabe wird vermutlich einen längeren Zeitraum in Anspruch nehmen, als das bei herkömmlichen Grobplanungen der Fall ist, denn über dieser Planung steht das Ziel einer ganzheitlichen Lösung der einzelnen Teilprobleme. Das führt aufgrund des Umfanges häufig zu einem Zusammenziehen nahezu aller Planungskräfte im Unternehmen.

Auf Basis dieser Systemplanung wäre nach den üblichen Planungsabläufen die Planung und Realisierung möglich. Doch hier ergibt sich bei CIM ein weiterer wesentlicher Unterschied. Das Einschieben einer sogenannten "Anpassungsphase" wird erforderlich. Es gilt dabei die Produkte und das Personal langsam auf die CIM-Konzeption umzustellen. In diese Phase fallen organisatorische Veränderungen ebenso wie technologische Veränderungen (z.B. produktionsgerechte Konstruktion). Mit einem hohen Einsatz an Kapital und Risiko könnte man diese Phase theoretisch kurz halten. Man sollte allerdings davon abraten, gerade in Hinblick auf die Umstellung der Mitarbeiter (z.B. Weiterbildung, Umorganisation, Akzeptanz, etc.).

Ein weiterer wichtiger Aspekt der CIM-orientierten Systemplanung ist die ganzheitliche Klärung des Problems des unübersehbaren Einsatzes von Informationstechnik und Fertigungstechnik der verschiedensten Hersteller. Die sehr häufigen und sehr kostspieligen Integrationsprobleme in derartigen heterogenen Landschaften führen zu dem allgemeinen Trend, so wenig Hersteller wie möglich einzusetzen. Dabei sind insbesondere Anbieter gefragt, die die ganze Palette der Informationssysteme und Automatisierungssysteme anbieten können. Aus derartigen Homogenisierungskonzepten erwachsen dann auch wiederum Anforderungen an z.B. Lieferanten von Maschinen und Anlagen (z.B. Einsatz bestimmter Steuerungen).

Das Ergebnis der Systemkonzeptplanung ist somit die Festlegung einer ganzheitlichen DV- und Automatisierungsstruktur. Sie enthält Schnittstellenbeschreibungen ebenso wie Leistungs- und Komfortanforderungen bis hin zu Wartungs- und Serviceanforderungen.

In Kapitel 4 (DV-Struktur) werden einige Aspekte als Basis zu diesem Thema näher erläutert. Beispielsweise die Themen der Kommunikation sowie der Datenhaltungs- und Zugriffsmöglichkeiten.

Die DV- und Automatisierungsstruktur muß unbedingt aus den Notwendigkeiten abgeleitet werden (z.B. Informations-, Materialfluß, Leitstands-, Automatisierungsfunktionen, Instandhaltungs-, Qualitätssicherungs-, Produktionssicherheitsanforderungen). Sie sollte nicht auf Modeerscheinungen (z.B. allg. verbreitet aber in bestimmten Bereichen ungeeignete Betriebssysteme oder Programmiersprachen) aufbauen um unnötige Anpassungskosten zu vermeiden.

Unter Berücksichtigung der genannten CIM-Besonderheiten entspricht die Vorgehensweise der Systemplanung im wesentlichen der einer normalen Grobplanung.

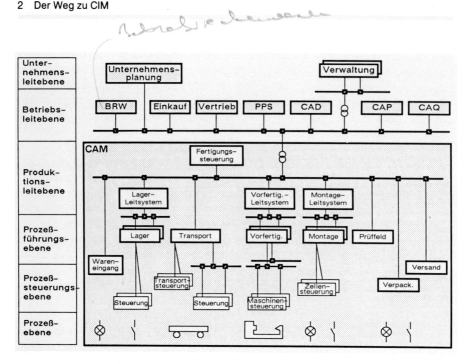

Bild 2.4.2–6:   Beispiel einer DV–Struktur

Realisierungsplanung

Im Gegensatz zu herkömmlichen Projekten ist es bei CIM notwendig, eine Planung der Abfolge der einzelnen Teilprojekte festzulegen.

In Lehrbüchern wird häufig der Weg von PPS über CAD/CAP zum CAM vorgeschlagen.
Die Praxis zeigt jedoch, daß finanzielle, strategische und wirtschaftliche Aspekte die Vorgehensweise unternehmensspezifisch bestimmen. Dabei sind Parallelrealisierungen und sequenzielle Realisierungen möglich. Zu beachten ist jedoch bei der Planung, daß die Funktionsfähigkeit des Unternehmens während der Realisierungsphasen erhalten bleibt.

Im ersten Schritt der Realisierung sind Voraussetzungen in Form von **integrationsfähigen Inseln** zu schaffen, denn nur Prozesse, die als Insellösung beherrscht werden, lassen sich auch später in einer integrierten Lösung beherrschen. In diesem ersten Schritt lautet die Aufgabe, neue Maschinen, Hardware oder Software zu erproben, zu beherrschen und zu optimieren. Oft sind Komponenten einzusetzen, über die noch keine oder unzureichende Erfahrungen vorliegen. Vorteilhaft ist es deshalb, in Abteilungen zu beginnen, in denen schon DV–Grundwissen vorhanden ist.
Erst im zweiten Schritt wird mit der eigentlichen Integration begonnen, wenn

auch zunächst nur auf Teilbereiche beschränkt (siehe Bild 2.4.2–7). Zur Kennzeichnung des aktuellen Automatisierungsstandes sei gesagt, daß Teilbereiche wie z.B. im CAM–Bereich die Vorfertigung oder Montage nur sehr aufwendig integriert sind. Die Heterogenität und damit Kommunikationsproblematik unterschiedlicher Maschinen, Steuerungen, Rechner, Kommunikationsnetze etc. darf nicht unterschätzt werden.

Im dritten und gegebenenfalls vierten Schritt werden die bisher autarken Inseln nach Bedarf vertikal oder horizontal vernetzt. Jeder dieser Integrationsschritte besteht wiederum aus mehreren Teilschritten.

Welche Automatisierungsinsel oder welche Integration an den Anfang der Realisierung zu stellen ist, hängt von den im Generalbebauungsplan aufgezeigten Schwachstellen des Unternehmens und den daraus resultierenden Notwendigkeiten und Möglichkeiten ab. Meist wird diese Frage mit Hilfe des größten wirtschaftlichen und strategischen Nutzens beantwortet.

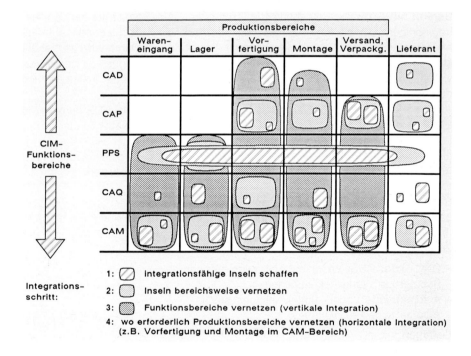

Bild 2.4.2–7:   Integrationsschritte

Die Vielfältigkeit der Einstiegsmöglichkeiten soll anhand der folgenden Beispiele aufgezeigt werden:

Beginn mit CAD: Ein Unternehmen, das vorwiegend kundenspezifisch produziert und durch Anpassungen einen hohen Kostenanteil im Konstruktionsbereich hat, kann eine CAD-System-Einführung an den Anfang der CIM-Projekte stellen.

Anschließend – oder bereits mit überlappendem Beginn – ist der Maschinenpark kontinuierlich auf CNC- bzw. DNC-Technik umzustellen. Mit der automatischen Arbeitsplan- und Programmerstellung kann dann im späteren Schritt die CAD-CAP-CAM-Kette geschlossen werden.

Beginn mit PPS: Bei dieser Möglichkeit stehen Ziele wie Verbesserung der Auftragsfreigabe, Betriebslogistik oder Materialwirtschaft im Vordergrund. Ein wichtiger Bestandteil von PPS-Systemen ist das Modul Grunddatenverwaltung, das Stammdaten (Artikel-, Stücklisten-, Arbeitsplanstammdaten) besonders an die Systeme CAD, CAP und CAM weitergibt bzw. von diesen entgegennimmt. Dementsprechend müssen Inhalt und Struktur der Stammdaten mit diesen Bereichen abgestimmt werden.

Beginn mit BDE: Die Betriebsdatenerfassung im CAM-Bereich ist bei den Auftragsfertigern ein oft angewandtes Hilfsmittel, um die verschiedenen Aufträge besser zu verfolgen. Damit lassen sich Termine und Durchlaufzeiten exakt steuern und überwachen. Ebenso kann die Maschinenverfügbarkeit verbessert werden, indem anhand der Laufzeitdaten eine vorbeugende Instandhaltung durchgeführt wird.

Auch bei einem Programmfertiger lassen sich die Vorteile der BDE nutzen. Die Einführung von BDE-Terminals im Fertigungsbereich mit anschließender Verarbeitung der erfaßten Daten in der Produktionsleitebene oder im PPS-System ist als Einstieg in CIM dann geeignet, wenn es gilt, die Fertigungsfeinplanung über Rückmeldungen des aktuellen Fertigungsgeschehens zu verbessern.

Beginn mit CAM: Die heute vielfach gestellten Rationalisierungsziele wie Verbesserung der Qualität, der Produktionsflexibilität oder Senkung der Produktionskosten richten sich sehr stark an den CAM-Bereich. Zur Erreichung der Ziele können z.B.

- CNC- oder DNC-Maschinen mit automatischem Werkzeugwechsel,
- Roboter zur Werkstückhandhabung,
- Automatisierte Lager- und Transportsysteme
- Automatische Prüfsysteme u.a.

beitragen.

Im CAM-Bereich, z.B. beim Aufbau von Fertigungszellen, wird meist die Inbetriebnahme der Fertigungsmaschinen an den Beginn gestellt. Danach sind automatische Werkstück- und Werkzeugwechselsysteme zu ergänzen. Diese werden durch einen Zellenrechner gesteuert, mehrere Zellenrechner können später einem Leitrechner untergeordnet werden. Diese Bottom-Up-Methode, also die Automatisierung vom Bearbeitungsprozeß ausgehend zur Peripherie, gewährleistet die autarke, evtl. teilautomatische oder manuelle Arbeitsweise der unteren Automatisierungsebene(n) bei der Inbetriebnahme und auch im späteren Betrieb, wenn das System einmal gestört sein sollte.

Werden Automatisierungsprojekte an produzierenden Anlagen durchgeführt, so ist zu beachten, daß die Produktivität vorübergehend niedriger anzusetzen ist, bis das neue System optimal eingefahren ist. Erforderliche Ausweichkapazitäten sind rechtzeitig einzuplanen. Komplexe Systeme sind an einem anderen Ort provisorisch aufzubauen und zu testen. Erst nach Erreichen der einwandfreien Funktionen sind sie dann zu portieren. Hervorzuheben ist das Testen der Software mit Hilfe spezieller Simulations-Programme. Dadurch kann der Datenaustausch z.B. zwischen Steuerung und Maschine simuliert werden, sodaß eventuelle Fehler bereits behoben werden können, bevor sie einen Maschinenschaden oder Terminverschiebung in der Fertigung verursachen.
Um die Realisierungszeit kurz zu halten, werden oft mehrere Projekte unterschiedlicher Abteilungen zeitlich parallel oder überlappt durchgeführt. Ein Netzplanbeispiel für eine mögliche Projektreihenfolge zeigt das Bild 2.4.2-8.

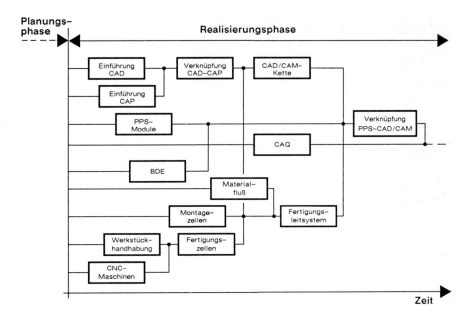

Bild 2.4.2-8: **Reihenfolge der Integrationsschritte (Beispiel)**

Grundforderung jeder Planung muß die zeitgerechte Gestaltung der einzelnen Planungsschritte sein. Diese Zeitplanung ist umso wichtiger, je komplexer und damit unübersichtlicher ein Projekt ist. Die Terminplanung geht zunächst von der

Erfassung sämtlicher Arbeiten und Vorgänge in Bezug auf die festzulegenden Teilprojekte aus. Dabei sind Teilprojekte als sinnvolle, modulare Einheiten aufzuteilen und in eine logische Kette zu ordnen. Nach Aufstellung des Termingerüstes muß eine Abstimmung mit den vorhandenen Ressourcen erfolgen (Endtermin, Personal, Betriebsmittel, Zeit).

Am Schluß dieser Phase verfügt das CIM-Management über detaillierte Aussagen der gewünschten, geforderten und wirklich notwendigen Änderungen und evtl. Neuerungen im Unternehmen. Diese Ergebnisse müssen nun zur endgültigen Entscheidung – ob das CIM-Projekt wie vorgeschlagen oder in geänderter Form realisiert wird oder zeitlich verschoben, bzw. überhaupt nicht realisiert wird – der Unternehmensleitung präsentiert werden.
Hierzu eignen sich

- der Kapitalbedarfsplan,
- Zeitbedarfs- und Terminplan,
- Betriebsmittelbedarfsplan,
- Personalbedarfsplan und der
- Realisierungsplan.

Ist eine Entscheidung für einzelne Detailentwürfe getroffen worden, beginnt die **Realisierungsphase**.

2.4.3 Realisierung

Zielsetzung

In der Realisierungsphase soll das CIM-Konzept aus dem Planungsstadium in die Realität umgesetzt werden. Im Generalbebauungsplan ist der Rahmen für die einzelnen Teilprojekte sowie deren Reihenfolge festgehalten. Aufgabe der Realisierungsphase ist es, die Grobplanung in Teilprojektplanungen soweit zu verfeinern, daß alle erforderlichen CIM-Komponenten ausgewählt, bestellt bzw. im eigenen Hause angefertigt und planungsgerecht in Betrieb genommen werden können. Zu den Komponenten gehören bei CIM nicht nur Hard- und Software, sondern ebenso Kommunikationsnetze, Maschinen, Werkzeuge, Hallen, Personal, Schulung u.a.

Grundsätzlich gleicht die Realisierung von CIM-Teilprojekten der Realisierung herkömmlicher Projekte. Der normale Projetablauf wird hier deshalb nicht beschrieben. Die Schwierigkeit bei der Realisierung von CIM liegt in der Integration, die nicht erst nach der Fertigstellung der Teilprojekte beginnt, sondern von vornherein Bestandteil auch der Teilprojekt-Planung sein muß. Das Zusammenfügen von oft einigen hundert Komponenten ist ohne ein klares Integrationskonzept zum Scheitern verurteilt. In dem Integrationsplan müssen für

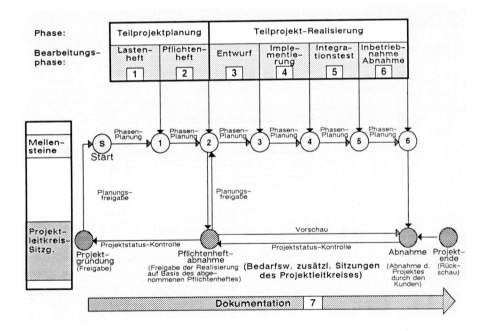

Bild 2.4.3-1: Automatisierungs-Projekt-Ablauf

jede Hierarchieebene alle Schnittstellen klar definiert sein. Darüberhinaus sind Zuverlässigkeitsanforderungen sowie dazu erforderliche Einzel- und Integrationstests zu definieren.

Viele Anwenderforderungen werden erst nach Planungsabschluß, d.h. bereits in der Realisierungsphase gestellt. Dieses nachträgliche Einbringen weiterer Wünsche ist bei CIM dann besonders problematisch, wenn das Gesamtkonzept geändert werden müßte. Hieraus wird noch einmal deutlich, wie wichtig die detaillierten Festlegungen des CIM-Generalbebauungsplans sind.

Vorgehen

Die Realisierung der einzelnen im CIM-Generalbebauungsplan festgelegten Teilprojekte beginnt mit der Detailplanung für das jeweilige Projekt.

Bei DV-technischen Projekten oder Automatisierungsprojekten orientiert sich das Vorgehen an dem in Bild 2.4.3-1 dargestellten Projektablaufplan.

Zur Projektübersicht und Realisierungskontrolle haben sich graphische Darstellungen bewährt, einige Arten sind in Bild 2.4.3-2 enthalten.

Durchführung

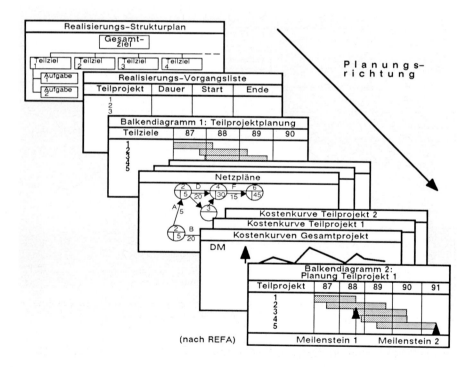

Bild 2.4.3-2: Unterschiedliche Realisierungskontrollpläne

Die Durchführungsverantwortung der einzelnen Teilprojekte liegt bei CIM–Projekten nicht nur im Bereich der entsprechenden Fachabteilungen. Das CIM–Management hat vielmehr die zusätzliche Aufgabe, die ganzheitlichen und bereichsübergreifenden Anforderungen umzusetzen. Dazu ist es notwendig, auch in Teilprojekten beratend und koordinierend mitzuwirken. Die nachfolgende Tabelle zeigt ein Beispiel für die Beteiligung der innerbetrieblichen Stellen an der Realisierung eines Teilprojekts. Je nach Beteiligung von CIM–Partnern sieht die Konstellation unterschiedlich aus (z.B. beim Einsatz von Generalunternehmern oder bei vollständiger Eigenrealisierung).

Projektphase	Aufgabe	Stellen	Unternehmensleitung	CIM–Management	betroffene Abteilung		Strategieteam	Systemanaly.	HW–/SW–Spez.	Sonstige
					Leiter	Mitarbeiter				
Realisierungsphase	Teilproj.–plang.	Lastenheft		v	v	b		b	b	B, H, S
		Pflichtenheft		b	b			b	v	H, S
	Teilprojekt–Realisierung	Entwurf			b	b			v	H, S
		Implementierung							v	H, S
		Installation		b		b			v	
		Einzeltest		b	v	b			b	H, S
		Integrationstest		v	b				b	H, S
		Abnahme		v	v				b	H, S
		Übergabe		v	v				b	H, S

Bild 2.4.3–3: Phasenfunktionsdiagramm und beteiligte Stellen (Beispiel)

Legende:

B   *Betriebsrat*   b   *beratend*
F   *Finanzwesen*   v   *verantwortlich*
H   *Hersteller, Lieferanten*
S   *Systemberater*
U   *Unternehmensberater*

Parallel zur Teilprojekt–Realisierung müssen auch die organisatorischen und personellen Maßnahmen durch das CIM–Management eingeleitet werden.

Die Umstellung der Mitarbeiter auf die neue CIM–Konzeption kann teilweise schwieriger werden als die technische Realisierung. Daher sind entsprechende Schulungsmaßnahmen einzuleiten, die die Qualifikation der Mitarbeiter im geforderten Maße erhöhen (z.B. Rechner bedienen, NC-Programme schreiben, Diagnosegeräte bedienen, Erhöhung der Verfügbarkeits-Verantwortung, komplexe FFS bedienen, etc.). Nicht alle Mitarbeiter werden in der Lage sein, die neuen Anforderungen zu erfüllen, so daß Versetzungen oder der Ersatz bereits qualifizierter Mitarbeiter notwendig werden können.

In Anbetracht der derzeit problematischen Arbeitsmarktlage und der durch technische Rationalisierungen hervorgerufenen kritischen Einstellung der Bevölkerung zu neuen Techniken ergeben sich einige nicht einfach lösbare Aufgaben.

Ein genereller Verzicht der Unternehmensführung auf neue erfolgversprechende Techniken würde jedoch volkswirtschaftlich zu erheblich höheren Belastungen führen.

3 Strukturierung der Funktionsbereiche (Informations- und Materialfluß)

Ein wesentlicher Punkt der CIM-Generalbebauungsplanung ist die Erstellung eines idealen Funktionsmodells für das Unternehmen. Als Basis dafür kann das vorliegende Kapitel mit den Strukturierungen der Funktionsbereiche betrachtet werden.

Ausgehend von einer CIM-Gesamtdarstellung werden die einzelnen CIM-Funktionsbereiche detailliert erläutert.

Zur besseren Übersicht wurden die Funktionsbereichserläuterungen einheitlich strukturiert. Beginnend mit der Definitions-Empfehlung des AWF (Ausschuß für wirtschaftliche Fertigung) werden die Funktionsbereiche kurz erläutert, anschließend ihre Funktionen detailliert und die Informations-Schnittstellen zu anderen Funktionsbereichen anhand von Diagrammen dargestellt. Um den Zusammenhang veranschaulichen zu können, werden die Schnittstellen zuerst in einem einheitlich aufgebauten Übersichtsbild aufgezeigt. In einem zweiten Bild (Interne Struktur) wird der Inhalt der Schnittstellendaten ergänzt und dazu wird der Funktionsbereich in Teilfunktionen zerlegt.

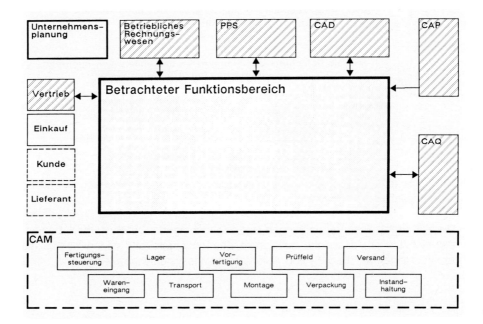

Bild 3.0-1: Darstellungsbeispiel für Funktionen und Schnittstellen

Bei den Informationsfluß–Darstellungen (Funktionen und Schnittstellen) wurden folgende Symbole verwendet:

Interner Bereich (z.B. CAD, CAP, ...)

Externer Bereich (z.B. Lieferant, Kunde, ...)

Betrachteter Funktionsbereich

Bereich, mit dem der betrachtete Funktionsbereich kommuniziert

Informationsfluß (mit Richtung)

Datenzugriff (lesend und/oder schreibend)

dezentrale Datenhaltung (nur innerhalb des betrachtenen Funktionsbereiches)

zentrale Datenbasis (für Stammdaten und andere von mehreren Bereichen benutzte Daten. Keine physikalische Datenhaltungszuordnung!)

Bild 3.0–2 (Teil 1) : Bilderklärung für die Informationsfluß–Bilder

Daten können in diesem Zusammenhang als Karteikarten, Listen, etc. bis hin zu EDV-Datenhaltungen verstanden werden.

Die hier angestellten Betrachtungen sind unabhängig von DV–Systemen. Es handelt sich um grundsätzliche funktionale Betrachtungen, aus denen heraus die Anforderungen an die DV– und Automatisierungssysteme abzuleiten sind.

Bei den Materialflußbetrachtungen, wurden soweit nicht anders vermerkt, die folgenden Symbole verwendet:

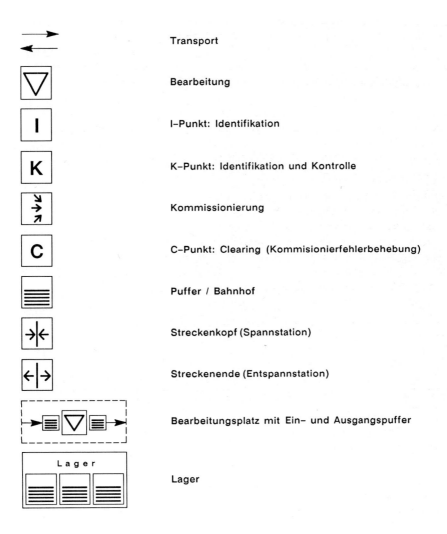

	Transport
	Bearbeitung
	I-Punkt: Identifikation
	K-Punkt: Identifikation und Kontrolle
	Kommissionierung
	C-Punkt: Clearing (Kommisionierfehlerbehebung)
	Puffer / Bahnhof
	Streckenkopf (Spannstation)
	Streckenende (Entspannstation)
	Bearbeitungsplatz mit Ein- und Ausgangspuffer
	Lager

Bild 3.0-2 (Teil 2) : Bilderklärung für die Materialfluß-Bilder

Die Symbole basieren auf den VDI-Richtlinien 3239/40 (Werkstückhandhabung).

Informationsfluß

Für die Wettbewerbsfähigkeit eines Unternehmens gewinnt der Produktionsfaktor Information eine zunehmende Bedeutung. Dies trifft nicht nur für betriebswirtschaftliche Daten sondern auch für Prozeß- und Qualitätsdaten zu.

Die einheitliche und zuverlässige Bereitstellung von Informationen ist eine wesentliche Voraussetzung für das optimale Ablaufen in einer flexiblen Produktion. Die Aufgaben des technischen Informationsflusses sind das Erzeugen, Aufbereiten und Weiterleiten der Information. Die heute zu bewältigenden Probleme liegen im schnellen und zuverlässigen Weiterleiten von Daten verschiedener Software- und Hardwaresysteme über geeignete Schnittstellen. Voraussetzung für die Auslegung der Schnittstellen ist eine exakte Definition der Kommunikationsanforderungen. Diese können allgemein wie folgt formuliert werden:

- Welche Daten werden wo erzeugt?
- Welche Daten werden wo und wofür benötigt?
- Wer verwaltet und pflegt welche Daten?
- Wer ist für welche Daten verantwortlich?
- Welche Daten werden in einer gemeinsamen Datenbasis gehalten?
- Für welche Daten besteht eine Hol- bzw. Bringschuld?

Die Fülle der im Produktionsunternehmen auftretenden Kommunikations-, Datenhaltungs- und Datenverarbeitungssysteme läßt sich übersichtlicher behandeln, wenn Funktionen und Systeme bestimmten hierarchischen Ebenen zugeordnet werden.

Hierarchische Automatisierungskonzepte haben im allgemeinen die in Bild 3.0-3 dargestellte Struktur. Sie haben sich im Laufe der Zeit aus den Anforderungen der Unternehmen (Verantwortungsebenen, Entscheidungsebenen, Ausführungsebenen etc.) herausgebildet. Die drei Leitebenen

- Unternehmensleitebene
- Betriebsleitebene (Hauptleitebene)
- Produktionsleitebene

bilden die Spitze der Unternehmenspyramide. Der Prozeßbereich, der sich unterhalb der Produktionsleitebene angliedert, kann wiederum in drei Ebenen unterteilt werden:

- Prozeßführungsebene
- Prozeßsteuerungsebene
- Prozeßebene.

Jede Ebene stellt besondere Anforderungen an die Informationsverarbeitung. Charakteristisch für diese Hierarchie ist, daß die Daten der unteren Ebenen (hohe Zahl von Einzelinformationen) verdichtet werden und in dieser Form an die nächst höhere Ebene, evtl. bis hin zur Unternehmensleitebene gegeben werden. Umgekehrt werden Informationen aus den höheren Ebenen als Vorgaben den unteren Ebenen weitergegeben und dort durch spezifische Daten ergänzt.

So werden z.B. vom CAD–System Geometriedaten an das CAP–System gegeben, dort um Technologiedaten ergänzt, um daraus NC–Programme zu generieren. Durch die vertikale Integration z.B. CAD/CAP/CAM oder PPS/CAM – werden hierarchisch aber auch möglicherweise zeitlich ungleichartige Systeme miteinander verbunden.

Neben diesem vertikalen Informationsfluß existiert auch ein horizontaler Informationsfluß, insbesondere auf der Betriebsleitebene. Hier werden Informationen zwischen miteinander in Verbindung stehenden Teilbetrieben ausgetauscht. Als typisches Beispiel sind Arbeitsaufträge an externe Bearbeiter (verlängerte Werkbank) oder die Verknüpfung von CAQ–Systemen des eigenen Unternehmens aber auch mit Lieferanten zu nennen. Horizontaler Informationsfluß findet aber auch in der Prozeßleitebene statt. Die mobile Datenhaltung ermöglicht, das Werkstück– und Werkzeugdaten direkt mit dem Material weitergegeben werden. Hierdurch kann das Kommunikationsnetz erheblich entlastet werden.

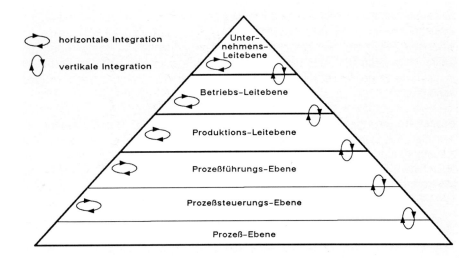

Bild 3.0–3: Hierarchieebenen eines Produktionsunternehmens

Je nach Größe, Struktur und Organisation des Unternehmens variieren die Funktionen und Verantwortlichkeiten der Ebenen. Global lassen sich die Funktionen der Ebenen wie folgt beschreiben:

Unternehmensleitebene: In Abhängigkeit von der Unternehmensstruktur werden auf der Unternehmensleitebene externe und interne Kommunikationen durchgeführt. Üblicherweise müssen auf dieser Ebene große Mengen betriebswirtschaftlicher und firmenpolitischer Daten zwischen verschiedenen Unternehmenszweigen sowie aus Verwaltung und Planung übertragen werden. Dabei wird ein sehr hoher Datendurchsatz gefordert, die Reaktionszeit fällt weniger ins Gewicht.

Betriebsleitebene: Das Kommunikationssystem dieser Ebene verbindet die Abteilungen innerhalb der Fabrik und kann sich über mehrere Hallen oder Betriebe erstrecken. Die Hauptaufgabe dieser Kommunikationsebene ist die Verteilung von organisatorischen, technischen und kommerziellen Daten, um einen Zusammenhang zwischen den verschiedenen Unternehmensbereichen herzustellen.

Produktionsleitebene: In der Produktionsleitebene (Werkstattebene) findet die Lenkung verschiedener Produktionsbereiche wie z.B. Vorfertigung, Montage und Prüffeld statt. Hierzu gehören die Feinplanung, Vorbereitung und Einlastung der Produktionsaufträge auf einzelne Zellen anhand der von unten gemeldeten Betriebsdaten sowie Material- und Personalverfügbarkeiten und auch Reservierungen.

Prozeßführungsebene: Hierbei geht es um die Zusammenfassung von Bearbeitungsmaschinen, Robotern und Transporteinrichtungen zu weitgehend autark arbeitenden Fertigungszellen (Zellenebene). Da die Kommunikation zwischen einzelnen Zellen und die Synchronisation mit den Transportsystemen über den Leitrechner stattfindet, muß die Reaktionszeit recht kurz sein und darf sich nicht in unvertretbarer Weise mit steigender Belastung des Kommunikationsnetzes verlängern.

Prozeßsteuerungsebene: Neben der Überwachung und Datenerfassung ist hier die gegenseitige Verriegelung und Synchronisation von Maschinen eine der Hauptaufgaben. Autarke Regelungs- und Steuerungsaufgaben für Teilprozesse, Maschinen, Transporteinrichtungen und Roboter werden ausgeführt; z.B. findet die Kommunikation zwischen einem Roboter und der Aufspannstation statt; eine CNC-Steuerung tauscht Daten mit einer speicherprogrammierbaren Steuerung, mit einer Meßstation oder einem Palettenwechsler aus.

Prozeßebene: Die Prozeßebene bildet die Schnittstelle zwischen Elektronik und Mechanik. Hier werden die Steuerbefehle umgesetzt in Bewegungen von Fertigungsmaschinen, Transportsystemen, Bedienungsanzeigen etc. Umgekehrt werden Bewegungen, Kräfte, Muster etc. über Sensoren erfaßt. Sie dienen als Rückmeldung für die überlagerte Steuerungsebene. Typische Aktoren sind Antriebe, Ventile, Lampen, Heizgeräte; typische Sensoren sind Endschalter, Temperaturfühler, Kraft- und Drehmomentsensoren.

Jede Hierarchieebene verarbeitet vorwiegend die ihr zugeordneten Daten. Die Daten werden in reduzierter und verdichteter Form an die darüberliegenden Ebenen – oder direkt an eine noch höhere Ebene – weitergegeben. Der vertikale Informationsfluß stellt somit – je nach Hierarchieebene – andere Ansprüche an die jeweiligen Kommunikationsprämissen wie Datentransfermenge, Responsezeit oder Datenübertragungshäufigkeit. Dies zeigt Bild 3.0–4 im Zusammenhang mit Planungsart und –horizont der Hierarchieebenen.

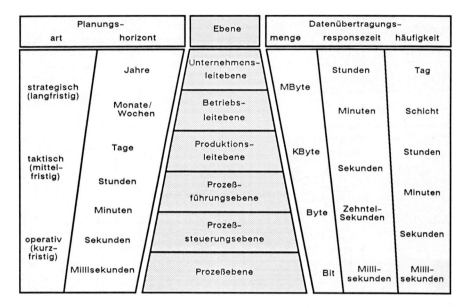

Bild 3.0–4:   Hierarchieebenen in der Datenverarbeitung

Stammdaten

Eine wichtige Differenzierung der verschiedenen **Datenarten** basiert auf der Langlebigkeit der Daten. In Produktionsunternehmen wird unterschieden (Bild 3.0–5) zwischen:

- **Bewegungsdaten** definieren die Daten über Systemelemente, die sich ständig verändern.
- **Stammdaten** sind Daten, die über die Eigenschaften von Systemelementen, Personen, Gegenständen, Sachverhalten Auskunft geben. Sie haben mittel- bis langfristige Gültigkeit.
- **Strukturdaten** beschreiben die Beziehungen zwischen den Systemelementen nach Zahl und Art.

Da Stammdaten Informationen beinhalten, auf die mehrere Anwender zugreifen, kann es sinnvoll sein, diese Daten gemeinsam zu halten und zu pflegen, z.B. in einem gemeinsamen zentralen Datenhaltungssystem. Ob dieses physikalisch aus einer Datenbank oder aus verteilten Systemen aufgebaut ist, muß anhand der jeweiligen Bedingungen entschieden werden.

Datenart	Basisdaten		Bewegungsdaten
Datenbezug	Stammdaten	Strukturdaten	
Personal	Name, Wohnort, Geburtsdatum, Steuerklasse, Qualifikation	Kostenstellen / Arbeitsplätze an denen die Person eingesetzt werden kann	abgerechneter Zeitgrad, Zeitlohnstunden, Anwesenheitszeit
Betriebsmittel	Maschinen–Nr., Benennung, Leistungsdaten, Ausrüstungsangaben, Kostenstelle Kostenplatz	einsetzbare Werkzeuge, Vorrichtungen	Nutzungsgrad, Abschreibungsstand
Erzeugnis	Teilenummer, Benennung, Beschaffungsart, Mindestbestand, Verrechnungspreis	Zuordnung der Teile und Gruppen zum Erzeugnis	Bestand, verkaufte Mengen
Auftrag	Auftrags–Nr., Kunde, Bearbeiter, Termin	Teilaufträge, Bestellungen	Auftragsfortschritt, angefallene Kosten

Bild 3.0–5:   Beispiele für die Datenarten/Datenbezug   (nach REFA)

Bereits hier sei darauf verwiesen, daß die in diesem Buch verwendeten Stammdaten im Zusammenhang mit den lesenden bzw. schreibenden Bereichen in dem Bild 3.10–1 als Übersicht tabellarisch aufgeführt werden.

Materialfluß

Unter dem Materialfluß versteht man in einem Produktionsunternehmen den gesteuerten Transport von Materialien beliebiger Art. Die Aufgabe des Materialflußsystems ist die termin- und mengengerechte Ver- und Entsorgung der Produktion mit Materialien. Das Optimum dieser Produktions-Logistik ist dann erreicht, wenn die maximal verfügbare Maschinenkapazität genutzt wird und gleichzeitig die Umlaufbeständen minimal sind.

Die Maßnahmen zur Erreichung von hoher Produktionsflexibilität und kurzen Durchlaufzeiten in der Fertigung zielen daher im wesentlichen auf Optimierungen im Materialflußbereich. Optimierung bedeutet dabei nicht daß man z.B. auf Lager oder Puffer in jedem Fall verzichten kann. Vielmehr sind diese produktionssichernden Hilfsmittel mehr als bisher in die Produktion zu integrieren, um das technische und wirtschaftliche Optimum erreichen zu können. Diese Integrationsforderung zeigt die Bedeutung für ein CIM-Konzept auf. Eine stärkere Verflechtung von Materialfluß und Informationsfluß ist unumgänglich. Ein Beispiel dafür ist der Versuch auch die Fertigung kleinerer Serien zu rationalisieren. Das dazu entwickelte System zur flexiblen Fertigung hat neben flexibleren Maschinen auch einen flexibleren und somit komplexeren Materialfulß zur Folge. Die Notwendigkeit einer dispositiven Materialflußsteuerung, die mit einer Fertigungsdisposition zusammenarbeiten muß, wird erkennbar.

Die in den CIM-Zielen festgehaltenen Anforderungen an die Produktion bewirken, daß die in Materialflußbereich notwendigen neuen Technologien (z.B. Fahrerlose Transportsysteme etc.) nur integriert in das gesamte Informationsflußsystem optimal genutzt werden können.

3.1 CIM (Computer Integrated Manufacturing)

AWF: CIM beschreibt den integrierten EDV-Einsatz in allen mit der Produktion zusammenhängenden Betriebsbereichen. CIM umfaßt das
informationstechnologische Zusammenwirken zwischen CAD, CAP,
CAM, CAQ und PPS. Hierbei soll die Integration der technischen und
organisatorischen Funktionen zur Produkterstellung erreicht werden. (Dies bedingt die gemeinsame, bereichsübergreifende Nut-
zung einer Datenbasis.)

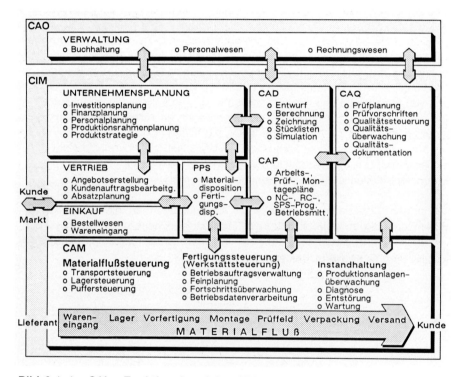

Bild 3.1-1: CAI - Funktionsbereiche CIM und CAO

CAI (Computer Aided Industrie) schließt über CIM hinausgehend die com-
puterunterstützte Organisation (CAO) des Unternehmens mit ein.

3.2 Unternehmensplanung / Betriebliches Rechnungswesen

Unternehmensplanung:

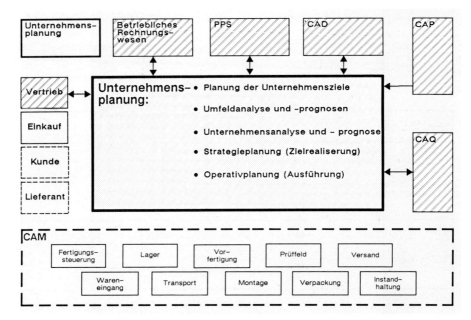

Bild 3.2-1: Unternehmensplanung (Funktionen und Schnittstellen)

Detaillierung: • **Planung der Unternehmensziele**
              – Produktionsrahmenplanung
           • **Umfeldanalysen und -prognosen**
              – Marktanalysen zur Produktplanung
              – Planung von Produktentwicklungen
           • **Unternehmensanalyse und -prognose**
              – Produktstrategie
           • **Strategieplanung (Zielrealisierung)**
              – Investitionsplanung
              – Finanzplanung
              – Personalplanung
           • **Operativplanung (Ausführung).**

Jedes Unternehmen strebt die Erhaltung seiner Wettbewerbsfähigkeit an. Dazu sind die marktspezifischen Randbedingungen (Umweltveränderungen) zu erfassen und daraus die zukünftige Entwicklung und Ausrichtung des Unternehmens abzuleiten bzw. zu prognostizieren. Die Unternehmensplanung hat hierbei die Aufgabe aus der Grundlage dieser Prognose Ziele zu formulieren und entsprechende Maßnahmen zur Erreichung dieser Ziele abzuleiten.

Da diese Aufgabe unterschiedlich lange Planungshorizonte aufweist, ist die Unternehmensplanung in drei Planungsstufen gegliedert.

Die **Strategische Planung** beinhaltet langfristige Planungsfaktoren wie Produktspektrum, Diversifizierung, Marktfestlegung. In diesem Planungszeitraum ist es das Ziel, den wirtschaftlichen Erfolg und damit den Unternehmensfortbestand zu sichern.

Die **Taktische Planung** (mittelfristig) legt die Umsetzungsmaßnahmen für die nächsten 3 bis 5 Jahre fest.

Die **Operative Planung** enthält Vorgaben für das kommende Geschäftsjahr.

Schnittstelle		Dateninhalt
UP – Betriebliches Rechnungswesen	➡	Budgetplanung
	⬅	Kosten, Statistik
UP – Vertrieb	➡	Produktionsprogrammplan, Produktstrategie, Vertriebsziel
	⬅	Statistik, Marktinformation, Absatzplan
UP – PPS	➡	Investitionsvorhaben, Produktionsprogrammplan
	⬅	Personalbedarf, Personalbestand, Personalengpaß, Kapazitätsbedarf
UP – CAD	➡	Entwicklungsauftrag
	⬅	Auftragsfortschritt
UP – CAP	➡	– – –
	⬅	Investitionsrahmen, Kosten
UP – CAQ	➡	Qualitätsziele
	⬅	Qualitätsstatistik (kumulierte Auswertung)
UP – Stammdaten	⬅➡	Lieferanten–, Kundenstammdaten, Kundenauftragsdaten, Kalkulationswerte, Erzeugnisstruktur

Bild 3.2–2: Unternehmensplanung (Schnittstellen und Dateninhalt)

Betriebliches Rechnungswesen:

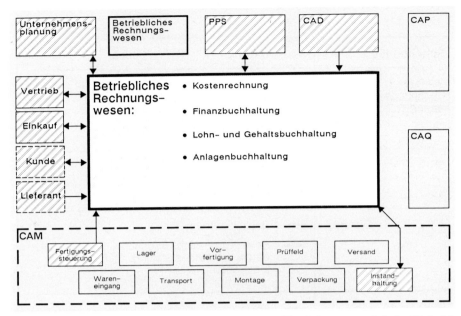

Bild 3.2-3: Betriebliches Rechnungswesen (Funktionen und Schnittstell.)

Detaillierung: • **Kostenrechnung**

– BAB: Kostenarten-, Kostenstellenrechnung
– Kostenträgerrechnung
– Vorkalkulation
– Deckungsbeitragsrechnung
– Profit-/ Costcenterrechnung
– Plankostenrechnung
– Gemeinkostenanalysen
• **Finanzbuchhaltung**
– Sachkontenbuchhaltung
– Debitorenbuchhaltung
– Kreditorenbuchhaltung
• **Lohn- und Gehaltsbuchhaltung**
• **Anlagenbuchhaltung.**

Unter dem Begriff Betriebliches Rechnungswesen faßt man sämtliche Funktionen zusammen, die zur mengen- und wertmäßigen Erfassung und Überwachung aller im Betrieb auftretenden Geld- und Leistungsströme dienen. Dabei kann es sich um die Feststellung von Bestandsveränderungen im Zeitablauf oder die Errechnung der Selbstkosten betrieblicher Leistungen handeln.
In erster Linie soll das Rechnungswesen jedoch der Kontrolle der Wirtschaftlichkeit und Rentabilität der betrieblichen Vorgänge dienen und damit der Unterneh-

mensleitung Unterlagen für ihre zukünftigen Planungen liefern (langfristige Disposition).

Schnittstelle		Dateninhalt
Betriebl. Rechnungs- wesen –	Unter- nehmens- planung	➡ Kosten, Statistik
		⬅ Budgetplanung
BRW –	Vertrieb	➡ Nachkalkulation, Anfrage
		⬅ Fakturanstoß
BRW –	Einkauf	➡ Bestellsperrung
		⬅ Bestelldisposition, Rechnung, Buchungs- daten, Bestellbestätigung, Mahnung vom Lieferanten
BRW –	PPS	➡ Kostenstellennutzungsanfrage, Verrech- nungssätze
		⬅ Kosten
BRW –	CAD	➡ – – –
		⬅ Vorkalkulation, Kosten
BRW –	Fertiggs.- steuerung	➡ – – –
		⬅ Lohndaten
BRW –	Instand- haltung	➡ – – –
		⬅ abrechnungsrelevante Daten
BRW –	Stamm- daten	⬌ Lieferanten-, Kunden-, Teilestamm-, Kundenauftragsdaten, Kalkulationswerte Erzeugnisstruktur

Bild 3.2–4: Betriebl. Rechnungswesen (Schnittstellen und Dateninhalt)
(Teil 1)

Schnittstelle		Dateninhalt
BRW – Kunde	➡ ⬅	Mahnung Zahlungseingang
BRW – Lieferant	➡ ⬅	Rechnungsbegleichung – – –

Bild 3.2-4: Betriebl. Rechnungswesen (Schnittstellen und Dateninhalt)
(Teil 2)

3.3 Vertrieb

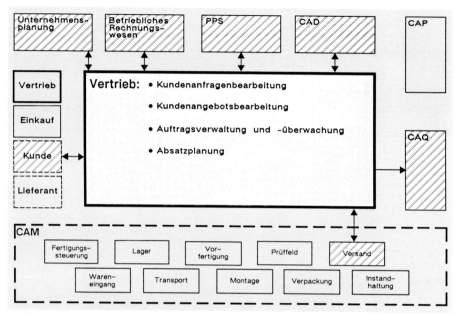

Bild 3.3–1: Vertrieb (Funktionen und Schnittstellen)

Detaillierung: • **Kundenanfragen– und Angebotsbearbeitung**
– Angebote bzw. Angebotsentwürfe ausarbeiten
– Auftragsvorklärung
– Angebotskalkulation
– Bonitäts– und Rabattprüfung
– Angebotserinnerung
– Deckungsbeitragsprüfung
– Preisermittlung
• **Auftragsverwaltung und –überwachung**
– Auftragserfassung
– Auftragsbestätigung
– Terminprüfung
– Auftragslöschung
• **Absatzplanung**
• **Sonstiges**
– Produktbedarfsplanung
– Produktentwicklungsaufträge
– Umsatzstatistik
– Marketing
– Kundendienst

 – Ersatzteile
 – Service.

Der Vertrieb stellt die Schnittstelle des Unternehmens zum Kunden bzw. Absatz-markt dar. Er bearbeitet Kundenanfragen, erstellt Angebote und wickelt Auftrags-erfassung, –prüfung und –überwachung ab. Aufgrund von Marktanalysen stößt der Vertrieb Produktneuentwicklungen bzw. –änderungsentwicklungen an.

Das Aufgabengebiet geht von der Akquisitions–, Angebotsphase über Auftrags-bearbeitung bis hin zum Ende eines Auftragsdurchlaufes, d.h. Unterstützung der Terminüberwachung. Ausgangspunkt für die Produktionsplanung und –steuerung sind die vom Vertrieb vorgegebenen Aufträge.

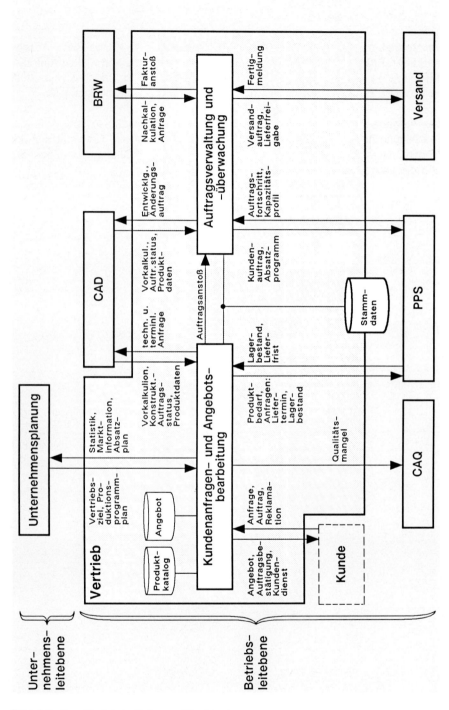

Bild 3.3-2: Vertrieb (Interne Struktur)

Schnittstelle		Dateninhalt
Vertrieb – Unternehmensplanung	➡	Statistik, Marktinformation, Absatzplan
	⬅	Produktionsprogrammplan, Produktstrategie, Vertriebsziel
Vertrieb – Betriebl. Rechngs.-wesen	➡	Fakturanstoß
	⬅	Nachkalkulation, Anfrage
Vertrieb – PPS	➡	Kundenauftrag, Absatzprogramm, Produktbedarf, Bestands-, Lieferterminanfrage
	⬅	Lieferfrist, Kundenauftragsfortschritt, Bestandsdaten, Fertigmeldung, Herstellungspreis
Vertrieb – CAD	➡	technische u. terminliche Anfrage, Entwicklungs-, Änderungsauftrag
	⬅	Vorkalkulation, techn. Spezifikation (s. Kap.3.0: Begriffe) Lösungsprinzip, Auftragsstatus
Vertrieb – CAQ	➡ ⬅	Qualtitätsmangel — — —
Vertrieb – Versand	➡ ⬅	Versandauftrag, Lieferfreigabe Fertigmeldung
Vertrieb – Stammdaten	⬅➡	Kundenstamm-, Kundenauftrags-, Teilestammdaten, Kalkulationswerte, Erzeugnisstrukturen
Vertrieb – Kunde	➡	Angebot, Auftragsbestätigung, Lieferbestätigung, Rechnung, Zahlungsanforderung, Terminänderung, Kundendienst
	⬅	Anfrage, Auftrag, Zahlungseingang, Reklamation, Rückfragen

Bild 3.3–3: Vertrieb (Schnittstellen und Dateninhalt)

3.4 Einkauf

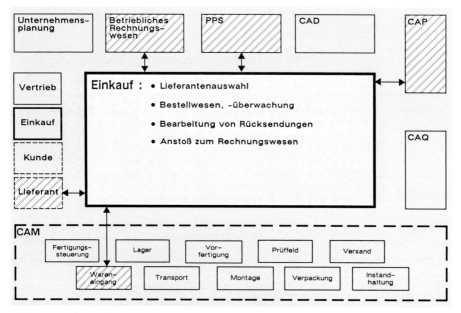

Bild 3.4–1:   Einkauf (Funktionen und Schnittstellen)

Detaillierung: • **Lieferantenauswahl**
- Anfrage an Lieferanten
- Verwaltung der Lieferantenstammdaten
- Preis- und Lieferkonditionen aushandeln
- Lieferantenauskunft
- Rahmenvereinbarungen
• **Bestellwesen-, überwachung**
- Bestellmengenrechnung
- Bestellungen ausschreiben
- Überwachung offener Bestellungen
- Erfassen der Bestellbestätigungen
- Liefererinnerungen
- Mahnungen
- Verbuchung der Wareneingänge
- Rechnungsprüfung
• **Bearbeitung von Rücksendungen**
- Stornierung
- Rücklieferschein
- Aktualisierung der Lieferantenauskunft
• **Anstoß zum Rechnungswesen.**

Der Einkauf ist der zentrale Bereich, der die Beschaffungsprobleme löst und dabei auf der einen Seite eine kostenminimale Versorgungsbereitschaft sicherstellen und auf der anderen Seite alle Marktchancen gewinnmaximal wahrnehmen soll. Um diese Aufgabe zu lösen, sind eine Vielzahl von Informationen notwendig. Diese reichen von der systemgestützten Lieferantenauswahl bei der Bestellaufgabe über Terminüberwachung durch Auftragsbestätigungsverwaltung, Mahnung, Liefererinnerung, Lieferantenauskunft bishin zur Preiskontrolle in der Rechnungsprüfung.

Der Einkauf muß Beschaffungsanforderungen anderer Abteilungen optimal ausführen. Die Einkaufsabteilungen haben sich um den Einkauf der Rohstoffe, Hilfsstoffe und Betriebsstoffe zu sorgen, die im Rahmen des Produktprogramms für die Herstellung notwendig sind. Dabei sind alle Möglichkeiten eines preisgünstigen, termingerechten und qualitativ angemessenen Bezugs an Stoffen und Waren auszuschöpfen.

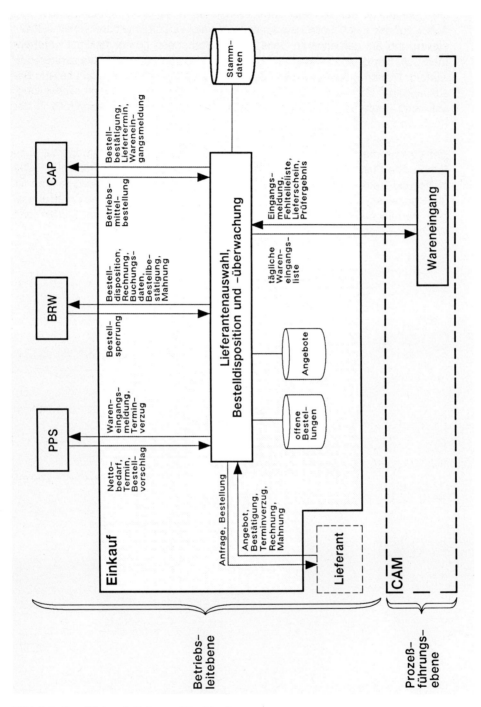

Bild 3.4–2: Einkauf (Interne Struktur)

Schnittstelle		Dateninhalt
Einkauf – Betriebl. Rechngs.- wesen	➡	Bestelldisposition, Rechnung, Buchungsdaten, Bestellbestätigung, Mahnung vom Lieferanten
	⬅	Bestellsperrung
Einkauf – PPS	➡	Wareneingangsmeldung, Lieferterminverzug
	⬅	Nettobedarf (Fremdfertigung), Bestellvorschlag, Termin
Einkauf – CAP	➡	Bestellbestätigung, Liefertermin, Warenein-gangsmeldung
	⬅	Betriebsmittelbestellung
Einkauf – Waren-eingang	➡	tägliche Wareneingangsliste
	⬅	Eingangsmeldung, Lieferschein, Fehlteileliste, Prüfergebnis
Einkauf – Stamm-daten	⬌	Teile-, Lieferantenstammdaten, Kundenauf-tragsdaten
Einkauf – Lieferant	➡	Anfrage, Bestellung
	⬅	Angebot, Auftragsbestätigung, Lieferterminver-zug, Rechnung, Mahnung

Bild 3.4–3: Einkauf (Schnittstellen und Dateninhalt)

3.5 PPS (Produktionsplanung und – steuerung)

AWF: PPS bezeichnet den Einsatz rechnerunterstützter Systeme zur organisatorischen Planung, Steuerung und Überwachung der Produktionsabläufe von der Angebotsbearbeitung bis zum Versand unter Mengen-, Termin- und Kapazitätsaspekten.

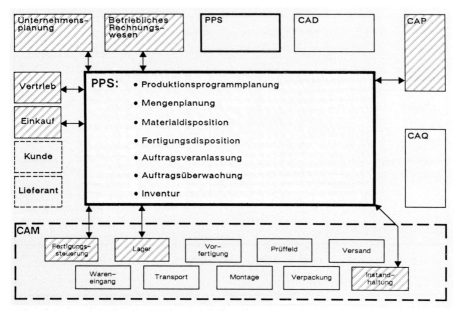

Bild 3.5-1: PPS (Funktionen und Schnittstellen)

Detaillierung: • **Produktionsprogrammplanung**
     – Prognoseerstellung für Erzeugnisse, Teile, Gruppen
     – Grobplanung des Produktionsprogramms, Auftrags-, Standarderzeugnissen
     – Lieferterminbestimmung
     – Vorlaufsteuerung der Konstruktion, Arbeitsplanung
    • **Mengenplanung**
     – ABC-Analyse
     – Beschaffungsrechnung
     – Verbrauchsgesteuerte Bedarfsermittlung
     – Lieferantenauswahl
     – Lagerbestandsführung
     – Materialreservierung
    • **Materialdisposition**
     – Stücklisten-, Rezepturauflösung
     – Brutto-, Nettobedarfsermittlung

- **Fertigungsdisposition** (Termin- und Kapazitätsplanung, Grobplanung)
  - Durchlaufterminierung
  - Kapazitätsbedarfsrechnung, -abstimmung
  - Fremdbedarfsermittlung
  - Kapazitätsverfügbarkeitsermittlung (grob)
- **Auftragsveranlassung**
  - Bestellschreibung
  - Fremdbestellung (über Einkauf)
  - Betriebsauftragsfreigabe
  - Arbeitsbelegerstellung
- **Auftragsüberwachung**
  - Bestellüberwachung
  - Auftragsfortschrittskontrolle
  - Wareneingangsmeldung
  - Kapazitätsüberwachung
  - Betriebs-, Kundenauftragsüberwachung
  - Kundenauftragsbezug zum neutralen Betriebsauftrag
  - Verwendungsnachweis
  - Chargenverfolgung
  - Engpaßübersichten
- **Inventur**
  - Stichtagsinventur
  - Permanente Inventur
- **Statistik**.

Einer der zentralen CIM-Bereiche ist die Produktionsplanung und -steuerung. Die Hauptfunktionen können unterteilt werden in Produktions-, Mengen-, Termin- und Kapazitätsplanung, Auftragsveranlassung und -überwachung und die Datenverwaltung.

Die Durchführung der verschiedenen PPS-Funktionen erfolgt auf der Basis von umfangreichen Grunddaten, wie Teilestammdaten, Stücklisten, Arbeitspläne, Kostenstellen, Kapazitäts- und verdichteten Ordnungsdaten. Hierbei erkennt man den interdisziplinären Charakter der Datenhaltung und -verantwortlichkeit (CAD, CAP, PPS).

Die **Produktionsprogrammplanung** operiert im wesentlichen auf der Erzeugnisebene. Die Grobplanung errechnet den Kapazitätsbedarf nach Menge und Termin für das prognostizierte Produktionsprogramm oder für die eingehenden Kundenaufträge und die Angebote. Die **Mengenplanung** dient der Ermittlung der zu fertigenden Teile und des zu beschaffenden Materials nach Art und Menge, um das geplante Produktionsprogramm termingerecht fertigen zu können.

In der **Durchlaufterminierung** werden die Bearbeitungstermine errechnet. Dies kann in einer Vorwärts- oder Rückwärtsterminierung erfolgen. Bei dem ersten Verfahren steht der Anfangstermin, beim letzten der Endtermin fest. Bei der Durchlaufterminierung wird von unbegrenzter Kapazität ausgegangen. In der Kapazitätsbedarfsrechnung werden die für das aktuelle Auftragsprogramm benötigten Fertigungskapazitäten ermittelt.

Die Produktionssteuerung beinhaltet die Funktionen **Auftragsveranlassung und -überwachung**. Dies wird oft als Fertigungssteuerung bezeichnet, ist jedoch nicht mit der Fertigungs- oder Werkstattsteuerung im CAM-Bereich zu verwechseln. Aufgabe der **Materialdisposition** ist die Umsetzung des Kundenauftrags in Fertigungsaufträge für den CAM-Bereich und Bestellaufträge an die Lieferanten.

Die Aufgabe der **Fertigungsdisposition** ist die Einplanung der Fertigungsaufträge auf die vorhandenen Fertigungskapazitäten und die Überwachung der Fertigungsdurchführung. Der Planungs- und Überwachungshorizont ist mittelfristig (Wochen bis Monate).

Nach den Dispositionsläufen und nach den Verfügbarkeitsüberprüfungen der für die Fertigung notwendigen Materialien, Betriebsmittel und Personals wird der Auftrag zur Fertigung freigegeben und zur Fertigungs(=Werkstatt)-steuerung weitergegeben. Diese Freigabe erfolgt je nach Planungshorizont des PPS-Systems täglich (Automobilindustrie) bis mehrwöchentlich (Kleinserienfertigung).

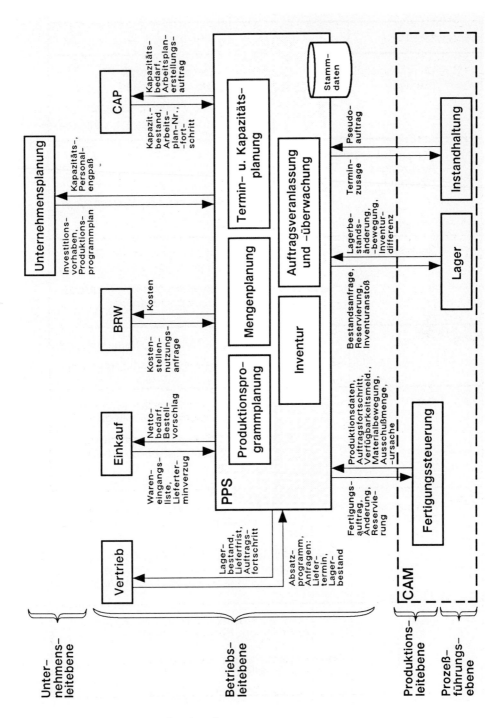

Bild 3.5-2: PPS (Interne Struktur)

Schnittstelle		Dateninhalt
PPS – Unternehmens-planung	➡	Personalbedarf, Personalbestand, Personalengpaß, Kapazitätsbedarf
	⬅	Investitionsvorhaben, Produktionsprogramm-plan
PPS – Betriebliches Rechnungs-wesen	➡	Kosten
	⬅	Kostenstellennutzungsanfrage, Verrechnungs-sätze
PPS – Vertrieb	➡	Lieferfrist, Kundenauftragsfortschritt, Be-standsdaten, Fertigmeldung, Herstellungspreis
	⬅	Kundenauftrag, Absatzprogramm, Produktbe-darf, Bestands-, Lieferterminanfrage
PPS – Einkauf	➡	Nettobedarf (Fremdfertigung), Bestellvorschlag
	⬅	Wareneingangsmeldung, Lieferterminverzug
PPS – CAP	➡	Kapazitätsbedarf, Arbeitsplanerstellungsauf-trag, Losgrößenvorschlag, Belastungsprofil
	⬅	Kapazitätsbestand, Kapazitätskenndaten, Arbeitsplan-Erstellungsfortschritt, Arbeits-plan-Nr.
PPS – Fertigungs-steuerung	➡	Fertigungsauftrag, Betriebsmittelreservierung, Auftragsänderung, -stornierung, Inventuran-stoß
	⬅	Produktionsdaten, Auftragsfortschritt, Ver-fügbarkeitsmeldung, Ausschußmenge, -ur-sache, Materialbewegung, Inventurdaten
PPS – Lager	➡	Kommissionierliste, Inventuranstoß, Material-reservierung, Bestandsanfrage
	⬅	Lagerbewegung, Bestandsänderung, Inventurdifferenz

Bild 3.5-3:   PPS (Schnittstellen und Dateninhalt)   **(Teil 1)**

Schnittstelle		Dateninhalt
PPS – Instandhaltung	►	Terminzusage
	◄	Pseudoauftrag (Material–, Personalbedarf, voraussichtlicher Termin u. Dauer)
PPS – Stammdaten	◄►	Lieferanten,–, Kunden–, Teilestammdaten, Kunden–, Betriebsauftragsdaten, Kalkulationswerte, Zeichnungen, Stücklisten, Erzeugnisstrukturen, Werkzeug–, Betriebsmittel–, Werkstoffdaten, Arbeitspläne, neutrale Arbeitspläne

Bild 3.5-3:   PPS (Schnittstellen und Dateninhalt)   (Teil 2)

3.6 CAD (Computer Aided Design)

AWF: CAD ist ein Sammelbegriff für alle Aktivitäten, bei denen die EDV direkt oder indirekt im Rahmen von Entwicklungs- und Konstruktionstätigkeiten eingesetzt wird. Dies bezieht sich im engeren Sinn auf die graphisch-interaktive Erzeugung und Manipulation einer digitalen Objektdarstellung, z.B. durch die zweidimensionale Zeichnungserstellung oder durch die dreidimensionale Modellbildung.

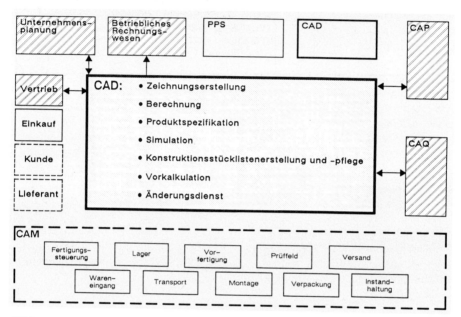

Bild 3.6-1: CAD (Funktionen und Schnittstellen)

Detaillierung:
- Zeichnungserstellung
- Berechnung
- Produktspezifikation
  - Spezifikationsrecherchen
- Simulation
- Konstruktionsstücklistenerstellung und -pflege
  - Variantenstückliste
- Vorkalkulation
- Änderungsdienst.

CAD läßt sich somit verstehen als ein DV-System zur Unterstützung beim Konstruktionszeichnen. Der Konstrukteur arbeitet nicht mehr am Reißbrett, sondern am Bildschirm. Es können gespeicherte Produktionsmerkmale, Formeln, Tabellen, etc. (Methodenbank) genutzt werden. Zugleich ist neben den konstruktiven

Berechnungen auch eine Vorkalkulation möglich, um die Konstruktionsvariante auf ihre Rentabilität zu untersuchen. Oft werden dem Konstrukteur weitere Informationen über verfügbare Teile, z.B. Normteile, und deren Verwendung in anderen Erzeugnissen zur Verfügung gestellt. Durch den Einsatz von CAD-Systemen kann die Erstellungszeit für Varianten- und Anpassungskonstruktionen entscheidend verkürzt werden, die Zeitersparnis bei Neukonstruktionen ist dagegen meist vernachlässigbar.

In der Konstruktionsabteilung werden aufgrund der Anforderungen Gestalt, Funktion und Abmessungen von Bauteilen und Baugruppen entworfen und detailliert, berechnet und das Zusammenwirken bzw. der Zusammenbau evtl. simuliert. Daraus ergibt sich eine Konstruktionsstückliste.

Die so erzeugten Geometriemodelle, Zeichnungen und Stücklisten werden in der CAD-Datenhaltung verwaltet. Diese Konstruktions-Daten sind Grundlage für die Arbeitsplanerstellung (CAP), die NC-Programmierung, die Prüfplanerstellung (CAP) und für die technische Dokumentation.

Der Vorteil der Computerunterstützung in der Konstruktion liegt u.a. in der Datenhaltung. Der Konstrukteur kann aus bestehenden Datenpools (Stücklisten, Werkzeugkataloge, Betriebsmittel,...) direkt die notwendigen Informationen abrufen, um damit einen Überblick auf vorhandene und für ihn relevante Materialien, z.B. Winkel, Bleche, etc. zu erhalten. Außerdem bietet CAD mit Hilfe der ständig leistungsfähiger werdenden Rechner die Möglichkeit, das seit jeher geforderte "Fertigungs-/ bzw. montagegerechte Konstruieren" durchzuführen. Eine wesentliche Voraussetzung hierzu ist die Simulation, die auf die notwendigen Betriebsmitteldaten aus dem CAP-Bereich zugreift.

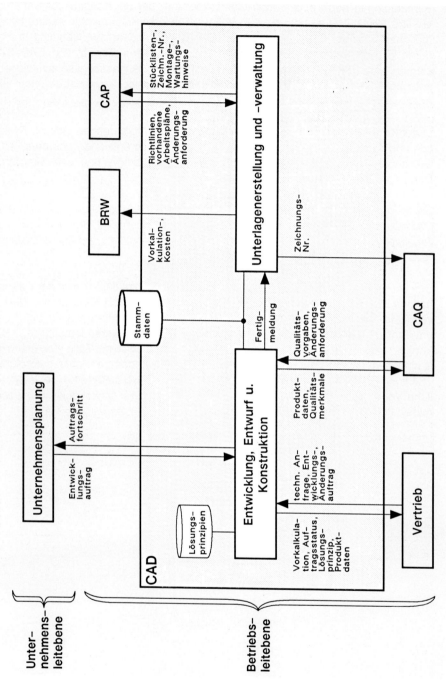

Bild 3.6-2:   CAD (Interne Struktur)

Schnittstelle		Dateninhalt
CAD – Unternehmens- planung	➡ ⬅	Auftragsfortschritt Entwicklungsauftrag
CAD – Betriebliches Rechnungs- wesen	➡ ⬅	Vorkalkulation, Kosten – – –
CAD – Vertrieb	➡ ⬅	Vorkalkulation, techn. Spezifikation (Produkt- daten), Lösungsprinzip, Auftragsstatus technische u. terminliche Anfrage, Entwick- lungs-, Änderungsauftrag
CAD – CAP	➡ ⬅	Zeichnungs-, Stücklisten-Nr., Montage-, Wartungshinweise Konstruktionsvorgaben, -richtlinien, Ände- rungsanforderung, vorhandende Arbeitsplan- Nr. und NC-Daten
CAD – CAQ	➡ ⬅	Zeichnungs-Nr., Qualitätsmerkmale, Produkt- daten Qualitätsvorgaben, Änderungsanforderung
CAD – Stammdaten	⬅➡	Kundenauftragsdaten, Kalkulationswerte, Zeichnungen, Geometriedaten, Stücklisten, Teilestammdaten, Erzeugnisstrukturen, Normen, Werkzeug-, Betriebsmittel-, Werk- stoffdaten, Bauvorschriften, neutrale Arbeits- pläne, (NC-/RC-/SPS-Programme)

Bild 3.6-3: CAD (Schnittstellen und Dateninhalt)

3.7 CAP (Computer Aided Planning)

AWF: CAP bezeichnet die EDV-Unterstützung bei der Arbeitsplanung. Hierbei handelt es sich um Planungsaufgaben, die auf den konventionell oder mit CAD erstellten Arbeitsergebnissen der Konstruktion aufbauen, um Daten für Teilefertigungs- und Montageanweisungen zu erzeugen.

Darunter werden verstanden: Die rechnerunterstützte Planung der Arbeitsvorgänge und der Arbeitsvorgangsfolgen, die Auswahl von Verfahren und Betriebsmitteln zur Herstellung der Objekte sowie die rechnerunterstützte Erstellung von Daten für die Steuerung der Betriebsmittel des CAM. Ergebnisse des CAP sind Arbeitspläne und Steuerinformationen für die Betriebsmittel des CAM.

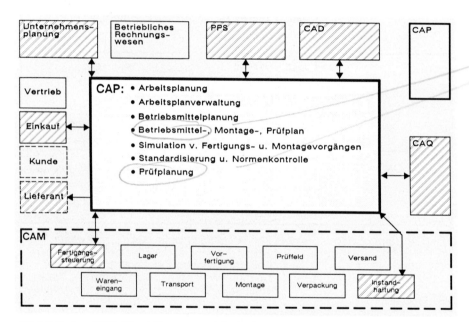

Bild 3.7-1: CAP (Funktionen und Schnittstellen)

Detaillierung: • Arbeitsplanung
- Festlegung der Arbeitsgangfolge
- Verfahren- und Maschinenauswahl
- Zuordnung von Werkzeugen, Vorrichtungen, Meßmitteln
- Festlegung von Prozeßparameter
- Vorgabe- und Planzeitermittlung
- NC-, RC-, SPS-Programmerstellung
- Kostenplanung

- **Arbeitsplanverwaltung**
  - Erstellung neuer Arbeitspläne
  - Neuplanung
  - Aktualisierung vorhandener Arbeitspläne
  - Arbeitsgangkatalogverwaltung
  - Rezepturverwaltung
- **Montageplanung**
  - Umsetzung der Konstruktionsstückliste in eine Montagestück-
    liste
  - Festlegung der Montagevorgangsfolge
  - Zuordnung der Montageplätze und –hilfsmittel
  - Vorgabe- und Planzeitermittlung
- **Prüfplanung (s.u.)**
  - Prüfplanerstellung
  - Prüfmittelbedarfsermittlung
  - Prüffolgeplanung
- **Rezepturerstellung**
- **Betriebsmittelplanung**
- **Simulation von Fertigungs- und Montagevorgängen**
- **Standardisierung und Normenkontrolle.**

Die Aufgaben lassen sich aufteilen in kurzfristige und langfristige Planungsaufgaben. Zu den kurzfristigen gehört die Erstellung von produktbezogenen Unterlagen, die in der Fertigung und Montage benötigt werden. Die langfristigen Planungsaufgaben beziehen sich auf die Findung geeigneter Produktionsbedin-
gungen für zukünftige Produkte.

Im Arbeitsplan werden die Arbeitsgänge, deren Reihenfolge und die notwendigen
Arbeitssysteme beschrieben, die für eine schrittweise Aufgabendurchführung erforderlich sind. Dabei sind u.a. das verwendete Material, sowie für jeden Vor-
gang der Arbeitsplatz, die Betriebsmittel, die Vorgabezeiten (Planzeit) und die
Lohngruppe anzugeben (REFA).
Normalerweise werden im Rahmen der Arbeitsplanung auftragsunabhängige Arbeitspläne erstellt. Im Auftragsfall wird durch Hinzufügen der entsprechenden,
auftragsspezifischen Daten der auftragsabhängige Arbeitsplan erstellt.

Die DV–Unterstützung der Arbeitsplanerstellung ist besonders effektiv, wenn
Geometrie- und Technolgiedaten aus dem CAD–System direkt übernommen
werden.

Die Prüfplanung kann sowohl dem Bereich CAQ als auch dem CAP–Bereich zugeordnet werden. Sie ist ein Teil des Qualitätswesens: Da es sich aber um einen
Planungsvorgang auf Basis der Produktbeschreibung handelt, ist genauso eine
Zuordnung zum CAP–Bereich möglich. Die Prüfplanung basiert auf den Ergebnissen der Qualitätsplanung.

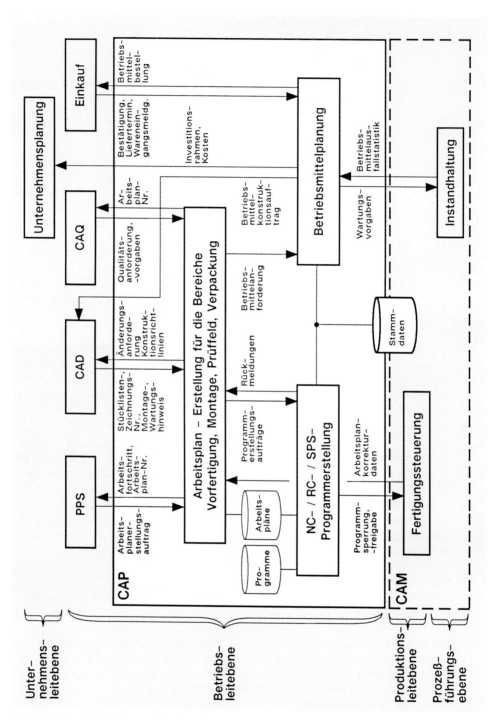

Bild 3.7–2: CAP (Interne Struktur)

Schnittstelle		Dateninhalt
CAP – Unternehmens- planung	➡ ⬅	Investitionsrahmen, Kosten – – –
CAP – Einkauf	➡ ⬅	Betriebsmittelbestellung Bestätigung, Liefertermin, Wareneingangs- meldung
CAP – PPS	➡ ⬅	Kapazitätsbestand, Kapazitätskenndaten, Arbeitsplan–Erstellungsfortschritt, Arbeits- plan–Nr. Kapazitätsbedarf, Arbeitsplanerstellungsauf- trag, Losgrößenvorschlag, Belastungsprofil
CAP – CAD	➡ ⬅	Konstruktionsvorgaben, –richtlinien, Ände- rungsanforderung, vorhandene Arbeitsplan- Nr. und NC–Daten, Betriebsmittel-Konstruk- tionsaufträge Zeichnungs–, Stücklisten–Nr., Montage–, Wartungshinweise
CAP – CAQ	➡ ⬅	Arbeitsplan–Nr. (neutr. Arbeitsplan) Qualitätsanforderung, –vorgabe
CAP – Fertigungs- steuerung	➡ ⬅	Programmfreigabe, –sperrung *) s. Erläu- terung 3.9.1–3 Arbeitsplankorrekturdaten
CAP – Instandhaltung	➡ ⬅	Betriebsmittelwartungsvorgaben Betriebsausfallstatistik
CAP – Stammdaten	⬅➡	Lieferantenstamm–, Kundenauftrags–, Be- triebsauftrags–, Geometrie–, Teilestamm–, Werkzeug–, Betriebsmittel–, Werkstoffdaten, Zeichnungen, Stücklisten, Kalkulationswerte, Erzeugnisstrukturen, Normen, Bauvor- schriften, neutrale Arbeitspläne, NC–, RC–/ SPS–Programme, Arbeitspläne

Bild 3.7–3: CAP (Schnittstellen und Dateninhalt)

CAP – Teilefertigung?

3.8 CAQ (Computer Aided Quality Assurance)

AWF: CAQ bezeichnet die EDV-unterstütze Planung und Durchführung der Qualitätssicherung. Hierunter wird einerseits die Erstellung von Prüfplänen, Prüfprogrammen und Kontrollwerten verstanden, andererseits die Durchführung rechnerunterstützter Meß- und Prüfverfahren. CAQ kann sich dabei der EDV-technischen Hilfsmittel CAD, CAP und CAM bedienen.

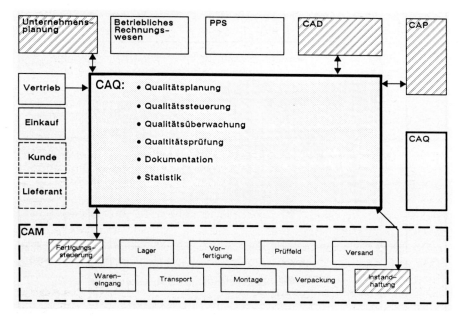

Bild 3.8-1:   CAQ (Funktionen und Schnittstellen)

Detaillierung: • Qualitätsplanung
  – Auswahl der Qualitätsmerkmale
  – Klassifizierung der Qualitätsmerkmale
  – Gewichtung der Qualitätsmerkmale
  – Festlegung der geforderten und zulässigen Werte
  – Optimierung der Qualitätskosten
 • Qualitätssteuerung, -überwachung
  – Überwachung der Durchführung
  – Meßwertauswertung
  – Qualitätsförderung
 • Qualitätsprüfung
 • Dokumentation, Statistik
  – Fehlerursachenverfolgung
  – Lebensdaueranalyse
  – Archivierung
  – Berichtswesen.

Das Qualitätswesen umfaßt alle Maßnahmen, um die geforderte und gleichblei-
bend hohe Produktqualität sicherzustellen. Darüberhinaus müssen in den immer
komplexer werdenden Produktionssystemen alle auftretenden Störgrößen sofort
erfaßt und geeignete Maßnahmen zur Sicherstellung der Produktqualität eingeleitet werden. Neben der Fehlererkennung müssen entsprechende Vorkeh-
rungen zur Fehlerverhütung getroffen werden.

Qualitätssicherung bedeutet nicht nur Qualität zu prüfen, sondern **Qualität zu
planen** und zu steuern. Qualitätsplanung ist die Planung und Festlegung der
Qualitätsmerkmale, aber auch die Planung der Prüfverfahren und Prüfmittel.
Neben der internen Qualitätsplanung, die die Ausführungsmöglichkeiten in ver-
fahrenstechnischer und wirtschaftlicher Hinsicht beinhaltet, gibt es auch die externe Qualitätsplanung, in der die Qualitätsansprüche des Kunden zu berücksichtigen sind. Die Qualitätsplanung darf nicht mit der Prüfplanung verwechselt
werden, da sie eine eigenständige Funktion ist, die der Prüfplanung vorgelagert
ist.

CAQ umfaßt die rechnerunterstützt ausführbaren Funktionen des Qualitätswesens. Sie begleiten deshalb den gesamten Produktentstehungsprozeß von der
Produktentwicklung bis zum Versand. Ziel der Qualitätssicherung ist es, im Sinne
einer Rückkopplung möglichst frühzeitig aus der Beobachtung der Produktions-
prozesse und ihrer Ergebnisse Maßnahmen zur Sicherstellung der geforderten
Produktqualität abzuleiten. Im Idealfall erfolgt eine ständige Überwachung der
Prozesse und eine In-Prozeß-Kontrolle, die ein sofortiges Kompensieren auftre-
tender Abweichungen ermöglicht. Die Umgebungsbedingungen der Produktions-
prozesse lassen oft jedoch direkte Messungen im Prozeß nicht zu, so daß die
Prozeßdaten indirekt erfaßt werden müssen.
Außerdem können aus den gemessen Prozeßdaten mit Hilfe von Simulationen
bestimmte Hinweise für die weitere Produktentwicklung und die Gestaltung des
Produktionsprozesses abgeleitet werden (langfristiger Qualitätsregelkreis).

Oft wird CAQ als separater Bereich betrachtet (wie in Bild 3.1-1). Organisatorisch sollte das Qualitätswesen ein eigenständiger Bereich und nicht ein der
Fertigungsleitung unterstellter Bereich sein. Da CAQ-Funktionen in allen Funktionsbereichen notwendig sind, ist in gewachsenen Organisationsstrukturen das
Qualitätswesen häufig der Produktionsleitung unterstellt.

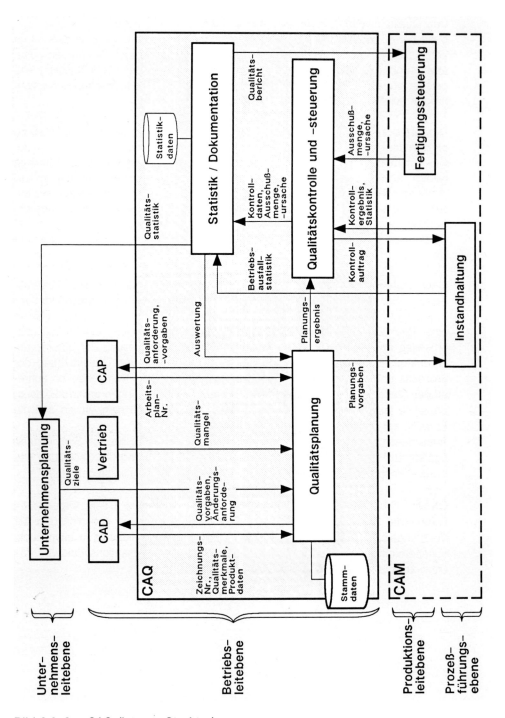

Bild 3.8-2: CAQ (Interne Struktur)

Schnittstelle		Dateninhalt
CAQ – Unter- nehmens- planung	➡ ⬅	Qualitätsstatistik (kumulierte Auswertung) Qualitätsziele
CAQ – Vertrieb	➡ ⬅	– – – Qualitätsmangel
CAQ – CAD	➡ ⬅	Qualitätsvorgaben, Änderungsanforderung Zeichnungs-Nr., Qualitätsmerkmale, Produkt- daten
CAQ – CAP	➡ ⬅	Qualitätsanforderung, -vorgaben Arbeitsplan-Nr. (neutr. Arbeitsplan)
CAQ – Fertigungs- steuerung	➡ ⬅	Qualitätsbericht Ausschußmenge, -ursache
CAQ – Instandhaltung	➡ ⬅	Planungsvorgaben, Kontrollauftrag Betriebsmittelausfallstatistik, Kontrollergebnis
CAQ – Stammdaten	⬌	Betriebsauftrags-, Geometrie-, Teilestamm-, Werkzeug-, Betriebsmittel-, Werkstoffdaten, Zeichnungen, Stücklisten, Erzeugnisstrukturen, Normen, Bauvorschriften, Prüfplan, NC-, RC-, SPS-Prüfprogramme

Bild 3.8-3: CAQ (Schnittstellen und Dateninhalt)

3.9 CAM (Computer Aided Manufacturing)

AWF: CAM bezeichnet die EDV-Unterstützung zur technischen Steuerung und Überwachung der Betriebsmittel bei der Herstellung der Objekte im Produktionsprozeß. Dies bezieht sich auf die direkte Steuerung von verfahrenstechnischen Anlagen, Betriebmitteln, Handhabungsgeräten sowie Transport- und Lagersystemen.

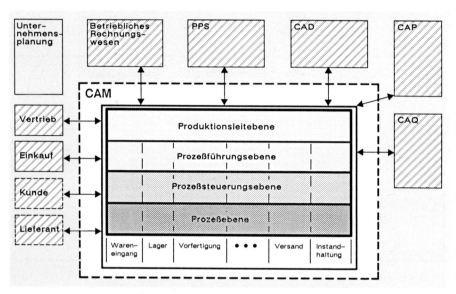

Bild 3.9-1: CAM - Übersicht

Der CAM-Bereich liegt im operativen und produktionslogistischen Bereich eines Unternehmens. Er umfaßt alle Aufgabenbereiche, die mit den Begriffen Fertigung, Materialfluß und Instandhaltung umrissen werden können. Das beinhaltet die Automatisierung aller produktionsnahen Bereiche wie Wareneingang, Lager, Vorfertigung, Montage bis hin zum Prüf- und Versandbereich.

Der CAM-Bereich kann in vier verschiedene Ebenen eingeteilt werden. Die wichtigsten Funktionen der drei oberen Ebenen sind in folgender Tabelle aufgeführt. Die vierte Ebene (Prozeßebene) ist die Schnittstellenebene zwischen Elektronik und Mechanik. Sie besteht aus Aktoren (Motoren, magnetischen Schaltern, ...) und Sensoren.

Produktionsleitebene (logistische Funktionen)	Prozeßführungsebene (operative Funktionen)	Prozeßsteuerungsebene
Planung, Verfügbarkeitskontrolle und Reservierung für: – Maschinen – Werkzeuge – Material – Personal – Transport Betriebsdatenverarbeitung	Verteilung der Aufträge auf Maschinen und Arbeitsplätze Fortschrittsüberwachung Materialabrufe, Versorgung der Maschinen mit Transportanstöße Betriebsdatenvorverarbeitung Zellenüberwachung Diagnose	Steuerung der Bearbeitungs- und Transportsysteme Maschinenüberwachung Betriebsdatenerfassung Maschinendatenerfassung Diagnose

BDE (Betriebsdatenerfassung): hat die Aufgabe, alle erforderlichen organisatorischen Istdaten aus dem Betrieb zu sammeln und in verarbeitungsgerechter, verdichteter Form für die Fertigungssteuerung bereitzustellen. Für die Fertigungssteuerung ist es wichtig, zu jeder Zeit den aktuellen Stand der auftrags-, maschinen- und materialbezogenen Daten zur Verfügung zu haben (Auftragsfortschrittskontrolle).

Detaillierung:
- Personalzeiterfassung
  - Anwesenheitszeiterfassung
  - Arbeitsplatzzuordnung
  - Arbeitsfunktionszuordnung
- Rüst- und Fertigungszeiten
- Rüst- und Fertigungsunterbrechungen
- Unterbrechungsgründe
- Materialverfolgung
- Auftragsfortschritt
  - Störungsmeldungen
- Qualitätssicherung
  - Gutteile, Nacharbeit und Ausschuß.

MDE (Maschinendatenerfassung): Mit der automatischen Erfassung der technischen Maschinenzustandsdaten ist es der Fertigungssteuerung und der Instandhaltung möglich, Störungen rechtzeitig zu erkennen, entsprechende Maßnahmen einzuleiten und dadurch größere Stillstandszeiten zu vermeiden. Mit den gewonnenen Daten kann die produktive Nutzungszeit eines Arbeitsplatzes ermittelt werden. In der Auswertung können Rückschlüsse auf Rüstzeit- und Auftragsreihenfolgeoptimierung gezogen werden.

Aus den Maschinendaten wie Maschinenlaufzeit oder Stillstandszeit (und Ursache) können auch personalbezogene Daten gewonnen werden. Im Allgemeinen wird deshalb BDE als Überbegriff von MDE gesehen.

Detaillierung:
- Laufzeiterfassung
- Stillstandszeiterfassung
- Programmstörung
- Werkzeugschaden
- Materialfehler, –mangel
- Maschinenschaden
  - mechanisch
  - elektrisch
  - elektronisch
  - hydraulisch
  - pneumatisch
- Personalausfall.

3.9.1   Fertigungssteuerung (Werkstattsteuerung)

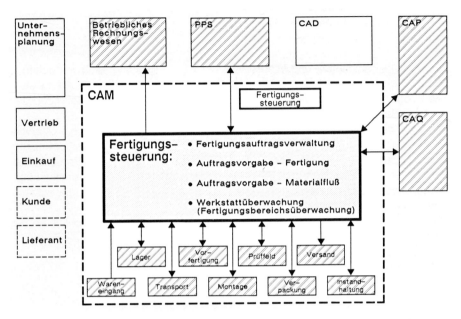

Bild 3.9.1-1:   Fertigungssteuerung (Funktionen und Schnittstellen)

Detaillierung: • **Auftragsverwaltung**
  – Entgegennahme und Verwaltung der Fertigungsaufträge (FA)
  – Auftragsänderung, -stornierung
  – Auftragsfortschreibung und Rückmeldung
 • **Auftragsvorgabe – Fertigung**
  – Kapazitätsangebot und -belegung
  – Belastungsgebirge und Belastungsvorschau
  – Einplanung der Aufträge auf einzelne Zellen
  – Reihenfolgeplanung
  – Ausregeln von Störungen
  – Auftragsüberwachung
  – Produktqualität überwachen (Gutteile, Nacharbeit, und Aus-
    schuß)
 • **Auftragsvorgabe – Materialfluß**
  – Verwalten der Umlaufbestände
  – Transportanweisungen erstellen
  – Material anfordern
 • **Werkstattüberwachung (Fertigungsbereichsüberwachung)**
  – Werkstattabbild führen (Fertigungsbereichs-Abbild führen)

- Verantwortung für Kapazitätsbereitstellung (Fertigungsaufträge, Material u. Transport)
- Bearbeiten von Störmeldungen
- Instandhaltungsanstoß
- Lohnkonten führen.

Die Begriffe Fertigungs- und Werkstattsteuerung entsprechen sich weitgehend. Um hierbei unabhängig von der Art der Fertigungsstruktur wie z.B. Werkstatt-, Fließ- oder Flexible Fertigung (s. Kap. 3.9.5) zu sein, setzt sich zunehmend der neutrale Begriff Fertigungssteuerung durch.

Aufgabe der Fertigungssteuerung ist die kurzfristige Steuerung und Überwachung der Fertigung, d.h. die aktuelle Zuordnung der vom PPS freigegebenen Aufträge zu den einzelnen Fertigungszellen und Maschinen unter Berücksichtigung aller unvorhersehbaren Störungen. Entsprechend dieser kurzfristig überprüften und gegebenenfalls neu disponierten Fertigungsaufträge sind die notwendigen und genau terminierten Transportaufträge zu erstellen.

Die verschiedenen Arten der Fertigungssteuerung werden im Anschluß an die Tabelle mit den Schnittstellendaten vorgestellt.

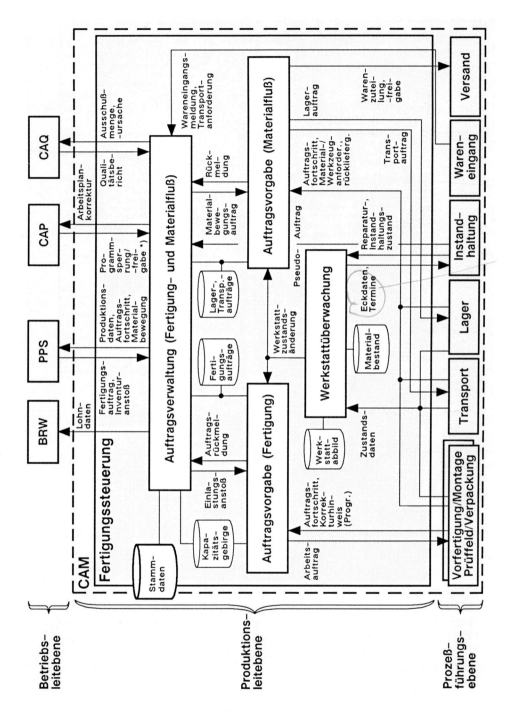

Bild 3.9.1–2: Fertigungssteuerung (Interne Struktur)

Schnittstelle		Dateninhalt
Fertig. Steu. – Betriebl. Rechngs.-wesen	➡	Lohndaten
	⬅	– – –
Fertig. Steu. – PPS	➡	Produktionsdaten, Auftragsfortschritt, Verfügbarkeitsmeldung, Ausschußmenge, –ursache, Materialbewegung, Inventurdaten
	⬅	Fertigungsauftrag, Betriebsmittelreservierung, Auftragsänderung, –stornierung, Inventuranstoß
Fertig. Steu. – CAP	➡	Arbeitsplankorrekturdaten
	⬅	Programmfreigabe, –sperrung *)
Fertig. Steu. – CAQ	➡	Ausschußmenge, –ursache
	⬅	Qualitätsbericht
Fertig. Steu. – Wareneingang	➡	– – –
	⬅	Wareneingangsmeldung, Transportanforderung
Fertig. Steu. – Lager	➡	Lagerauftrag
	⬅	Zustandsdaten, Auftragsfortschritt

Bild 3.9.1–3: Fertigungssteuerung (Schnittstellen und Dateninhalt, Teil 1)

*) Arbeitsplan u. NC–Programm werden üblicherweise nicht in der Arbeitsvorbereitung (CAP) kopiert, an die Fertigungssteuerung weitergegeben und dort parallel verwaltet. Diese Unterlagen werden stattdessen bei Bedarf aus der Stammdatenhaltung ("Bibliothek") abgerufen. Zum Aufruf ist lediglich die Nummer des Arbeitsplans, Programms, etc. erforderlich, die Bestandteil z.B. des Fertigungsauftrages ist.
Sollten in einem Programm Fehler auftreten, wird dieses Programm entsprechend gekennzeichnet und solange gesperrt, bis der CAP–Bereich die Korrekturdurchführung meldet.

Schnittstelle		Dateninhalt
Fertig. Steu. – Transport	→ ←	Transportauftrag Zustandsdaten, Auftragsfortschritt
Fertig. Steu. – Vorfertig., Montage, Prüffeld, Verpackg.	→ ←	Arbeitsauftrag Zustandsdaten, Auftragsfortschritt, Material–, Werkzeuganforderung/ –rück- lieferung, Korrekturhinweis
Fertig. Steu. – Versand	→ ←	Warenzuteilung, –freigabe, Transportan- kündigung – – –
Fertig. Steu. – Instandhalt.	→ ←	Eckdaten (Vorschlags– und Einplanungs- termine) Instandhaltungs–/ Reparaturzustand, Pseudoauftrag
Fertig. Steu. – Stamm- daten	←	Betriebsauftrags–, Teilestamm–, Be- triebsmitteldaten, Kalkulationswerte, Arbeits–, Prüfpläne (Zeichnung, Stück- listen)

Bild 3.9.1–3: Fertigungssteuerung (Schnittstellen und Dateninhalt, Teil 2)

3.9.1.1 Verfahren der Fertigungssteuerung

Die Fertigungssteuerung bildet den organisatorischen Kern des Produktions-(CAM)-Bereichs.

In Abhängigkeit der Produktionsrandbedingungen wie Losgröße, Durchlaufzeit, Variantenzahl u.a. sind bestimmte Fertigungsablaufstrukturen (Layouts) wie Werkstattfertigung, Fließ-/Linienfertigung oder Flexible Fertigung einzusetzen. Die Art der Fertigungssteuerung muß auf die jeweilige Struktur der Fertigung abgestimmt werden.
Während früher die Maschinen-Kapazität der bedeutendste Engpaß war und dementsprechend das oberste Fertigungssteuerungs-Ziel die maximale Auslastung war, hat sich heute der Schwerpunkt in Richtung niedriger Materialbestände und kurzer, exakt vorausbestimmbarer Lieferzeiten verschoben.
Diese Ziele erfordern ein Fertigungssteuerungs-Konzept, das nicht mehr durch eine langfristige Planung sondern durch eine enge Anbindung an die Fertigung charakterisiert ist. Voraussetzung dafür ist die schnelle, automatisierte Rückmeldung von Betriebs- und Maschinendaten.

Eine Übersicht über die Einsatzbereiche verschiedener Verfahren zeigt das Bild 3.9.1-4. Nachfolgend werden einige wichtige Fertigungssteuerungs-Verfahren beschrieben.

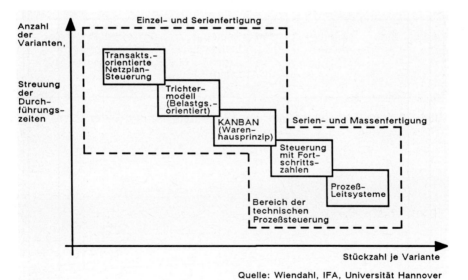

Quelle: Wiendahl, IFA, Universität Hannover

Bild 3.9.1-4: Übersicht über Verfahren der Fertigungssteuerung

Betriebsauftragssteuerung nach dem Schiebeprinzip (konventionell)

Bei dieser Variante der Fertigungssteuerung wird dispositiv über Fertigungsmengen und -termine entschieden und diese der Fertigung vorgegeben.

Die Vorgaben können je nach Ausführung des Systems variieren von Rahmenvorgaben bis zu detaillierten Mengen und Terminen auf Arbeitsgangebene. Um eine termingerechte Realisierung sicherzustellen, wird vor der Freigabe der Aufträge eine Verfügbarkeitsprüfung der benötigten Materialien, Unterlagen, NC-Programme und Werkzeuge durchgeführt. In einigen Fällen wird zusätzlich geprüft, ob für die einzusteuernden Aufträge auch die erforderliche Kapazität zur Verfügung steht.

Normalerweise jedoch werden die Aufträge ohne Rücksicht auf die aktuell zur Verfügung stehende Maschinenkapazität freigegeben. D.h. die Freigabe erfolgt belastungsunabhängig mit der Folge, daß im Fertigungsbereich Umlaufbestände entstehen. Da die Menge der freigegebenen Aufträge nicht von den Beständen in der Werkstatt abhängt, sondern durch die vorgelagerte Auftragsdisposition vorgegeben wird, heißt dieses Verfahren Schiebeprinzip oder auch "Push-"prinzip.

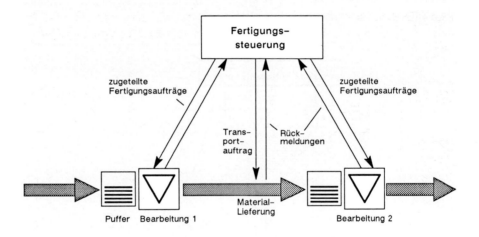

Bild 3.9.1-5: Fertigungssteuerung nach dem Schiebeprinzip

Belastungsorientierte Auftragsfreigabe

Die belastungsorientierte Auftragsfreigabe ist ein Steuerungsinstrument für konventionelle Organisationsformen, wie sie z.B. die Werkstattfertigung darstellt. Ihr Ziel ist es, die Anzahl der freizugebenden Fertigungsaufträge und deren Arbeitsstundeninhalt auf die noch nicht belegte Maschinenkapazität abzustimmen und die beim herkömmlichen Schiebeprinzip entstehenden – in ihrer Größe schwankenden – Bestände abzubauen.

Basis der belastungsorientierten Auftragsfreigabe ist das Trichtermodell, das den Zusammenhang zwischen Bestand, Maschinenkapazität und Durchlaufzeit einer Fertigungseinheit beschreibt (Bild 3.9.1-6):

> Der **Bestand** ist proportional dem Produkt aus Maschinen-**Kapazität** und Auftrags-**Durchlaufzeit** (B = K * DLZ).

(Diese Gleichung gilt für die über einen längeren Zeitraum gemittelten Werte.)

Ein Werkstattbereich besteht aus vielen Einzel-"trichtern", die Maschinen oder Maschinengruppen repräsentieren (Bild 3.9.1-7). Sollte das Bestandsniveau im Produktionsbereich eine betriebsspezifisch zu ermittelnde Grenze überschreiten, werden keine weiteren Aufträge entgegengenommen, da sonst der "Trichter überläuft" was Bestände zur Folge hätte.

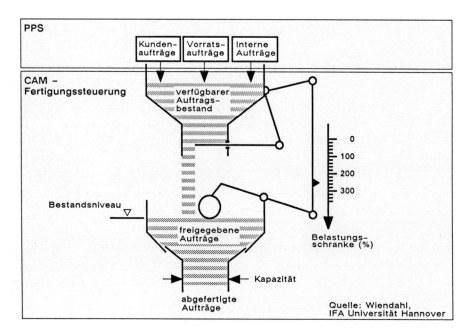

Bild 3.9.1-6: Belastungsorientierte Auftragsfreigabe

Mit Hilfe der Gleichung können bestimmte Betriebszustände im Voraus berechnet werden. Bei bekannter Leistung (Kapazität) kann man demnach eine bestimmte Durchlaufzeit dadurch erreichen, daß man den zugehörigen Bestand errechnet und durch ein entsprechendes Regelverfahren an diesem Arbeitssystem auch tatsächlich festhält. Dabei wird nicht jeder Auftrag in seinem genauen terminlichen Ablauf vorgeplant, sondern – statistisch begründet – die in einer Planperiode zu fertigende Auftragsmenge, gemessen z.B. in Arbeitsstunden, freigegeben.

Mit der belastungsorientierten Auftragsfreigabe lassen sich die Warteschlangen in der Werkstatt deutlich verkleinern und vor die Werkstatt verlagern. Neben niedrigen Materialbeständen, kürzeren und besser einhaltbaren Durchlaufzeiten gewinnt der Fertigungssteuerer eine bessere Übersicht über das Fertigungsgeschehen und kann chronische Engpaßkapazitäten oder Störstellen besser erkennen und beheben.

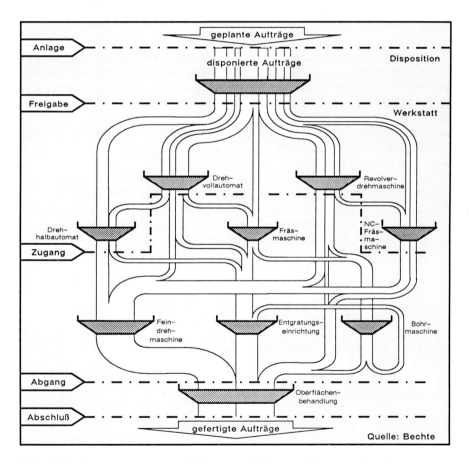

Bild 3.9.1–7: Vermaschtes Trichtermodell einer Werkstattfertigung

Fortschrittszahlen

haben sich als einfaches Planungs- und Überwachungskonzept in der Serien- und Massenfertigung bewährt. Die Grundidee des Verfahrens liegt in der kumulierten Betrachtung der Fertigungsaufträge. Hierdurch lassen sich größere Produktionsmengen und Abweichungen vom vorgegebenen Soll einfacher verfolgen. Liegt die kumulierte Produktions-Sollmenge (=Soll-Fortschrittszahl) über der Ist-Fortschrittszahl, so besteht zu diesem Zeitpunkt (meist am Schichtende gemessen) ein Vorlauf, anderenfalls ein Rückstand. Das Fortschrittszahlensystem kann für eine Fertigungslinie oder für die gesamte Logistikkette angewendet werden. Entwickelt wurde dieses Konzept in der Automobilindustrie und wird dort sowohl intern als auch zur Einbindung der Lieferanten eingesetzt.

Kanban (Ziehprinzip)

Kanban (japanisch "Karte") ist ein sehr einfaches, dezentrales Fertigungssteuerungs-Verfahren, das prinzipiell ohne DV-Unterstützung auskommt.

Wenn eine Bearbeitungsstation so viel Material aus ihrem Bereitsstellungspuffer verbraucht hat, daß der einmal vorher festgelegte Mindestbestand unterschritten ist, wird an die vorgelagerte Station eine Kanban-Karte geschickt (Bild 3.9.1-8). Diese Karte entspricht einem Fertigungsauftrag und enthält im wesentlichen die Daten Teilebezeichnung, Teilemenge und Anlieferungsort.
Weil ein Fertigungsauftrag erst dann gestartet wird, wenn auch der zugehörige Folgeauftrag durchgeführt werden kann, ermöglicht Kanban kurze Durchlaufzeiten und niedrige Bestände.
Da die Kanban-Karte den Bedarf einer nachfolgenden Station anzeigt, wird dieses Steuerungsprinzip auch als Sog- oder Ziehprinzip bezeichnet.
Voraussetzung für den Einsatz des Kanban-Prinzips ist allerdings eine einfache, wenig vernetzte Fertigungsstruktur. Das Standardeinsatzfeld der Kanban-Steuerung ist somit die variantenarme Serienfertigung.

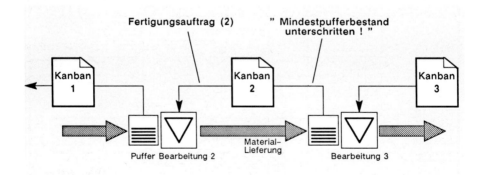

Bild 3.9.1-8: Fertigungssteuerung nach Kanban (Ziehprinzip)

Netzplantechnik

Die Netzplantechnik eignet sich nicht nur als Hilfsmittel des Projektmanagements, sondern auch zur Fertigungssteuerung, speziell für die Baustellenfertigung.

Der Netzplan ist ein geeignetes graphisches Mittel, um den Fertigungsablauf mit seinen technologischen Abhängigkeiten systematisch und übersichtlich darzustellen.

Der Fertigungssteuerer hat damit ein Instrument zur Verfügung, das es ihm erlaubt alle logistischen und operativen Maßnahmen zu disponieren, einzuleiten und zu überwachen.

OPT

Das Steuerungskonzept OPT zielt auf eine optimale Belegung der Engpaßmaschinen hin. Die freizugebenden Fertigungsaufträge werden nach solchen mit und solchen ohne Arbeitsgänge auf kritischen Betriebsmitteln untersucht. Die Aufträge mit Arbeitsgängen auf kritischen Betriebsmitteln werden in einer Vorwärtsterminierung und die übrigen Aufträge in einer Rückwärtsterminierung eingelastet.

Just-in-time

Just-in-time ist ein Logistik-Konzept zur Reduzierung der Materialbestände, bei dem das benötigte Material zeitsynchron zur Bearbeitung angeliefert wird (z.B. Stunden-genau). Damit kann auf Eingangslager zugunsten kleiner Puffer verzichtet werden.

Das Just-in-time-Prinzip stammt aus der Automobilindustrie und setzt folgende Randbedingungen voraus:

- Serienfertigung beim Abnehmer
- hohe Flexibilität oder Versandlager beim Lieferanten oder in der Spedition und
- langfristige Rahmenverträge zwischen Lieferanten und Abnehmern.

Der Schwerpunkt der Just-in-time-Anwendung liegt auf der bedarfsgerechten Einbindung externer Zulieferanten. Das Problem bei dem werksinternen Einsatz besteht darin, daß interne Lieferanten meist nicht so flexibel sind wie die externen.

Just-in-time ist ein Logisik-Konzept und kein Fertigungssteuerungskonzept; hier geht es nicht um die optimale Zuordnung von Fertigungsaufträgen und Maschinenkapazitäten.

3.9.2 Wareneingang

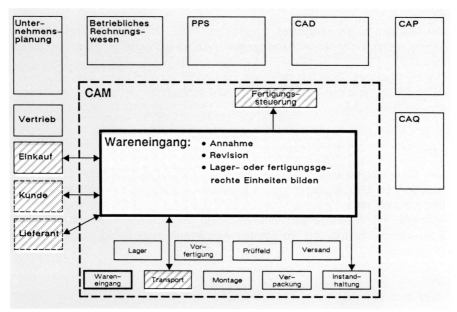

Bild 3.9.2–1: Wareneingang (Funktionen und Schnittstellen)

Detaillierung: • **Annahme**
- angelieferte Ware erfassen und identifizieren (Rohstoffe, Halbzeuge, Werkstoffe, Betriebsstoffe, Hilfsstoffe, Teile)
- Sichtprüfung anhand der Begleitpapiere (Verpackungseinheit, Anlieferungstermin)
- auspacken und umpacken
• **Revision**
- Prüfen von Qualität und Menge
- beanstandete Waren kennzeichnen und aussortieren
- Kontrollberichte erstellen
- Eingang der Waren an den Einkauf melden
• **Lager- oder fertigungsgerechte Einheiten bilden**
- Ware entsprechend den Forderungen der weiterverarbeiten-den Stelle kommissionieren (und palettieren)
- Warenbegleitscheine erstellen
- Transportanstoß zu den Bereichen:
  - Fertigung
  - Lager
  - Lieferant (Rücklieferung beanstandeter Ware).

Der Wareneingang prüft Anlieferungstermin, Menge und Qualität der angelieferten Waren anhand der Bestellungen. Er erstellt die innerbetrieblichen Warenbegleitpapiere und Kontrollberichte. Von hier erfolgen die Rückmeldungen für Bestell- und Bestandsfortschreibungen und die Transportanstöße ins Lager (falls Einlagerung notwendig) oder direkt zur Fertigungssteuerung.

Der **Materialbegleitschein** (auch Begleitkarte genannt) begleitet die Werkstücke eines Auftrages durch den Betrieb. Sie dient dazu, die Werkstücke jederzeit identifizieren zu können und den Transport zu steuern (Kostenstellen/Maschinennummern).
Der Materialbegleitschein umfaßt also alle Werkstücke (Losgröße) eines Auftrages. Bei einer hochautomatisierten "papierlosen" Fertigung mit der Grenz-Losgröße 1 können die Daten des Materialbegleitscheins auf Barcodes oder mobilen Datenträgern umgesetzt werden.

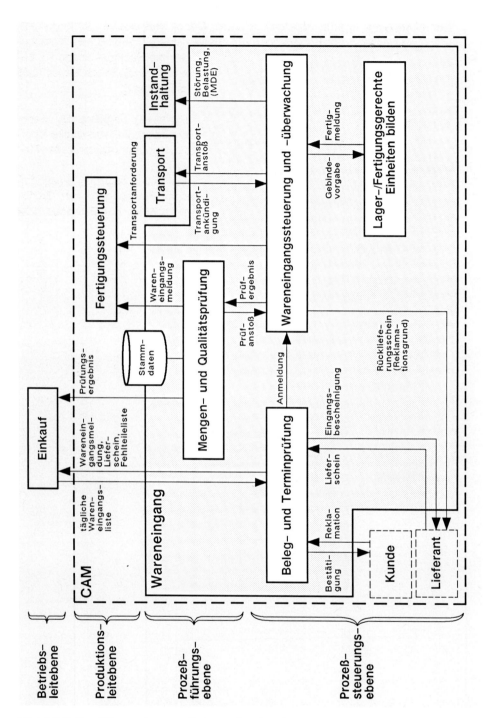

Bild 3.9.2–2: Wareneingang (Interne Struktur)

Schnittstelle		Dateninhalt
Wareneingang – Einkauf	➡	Eingangsmeldung, Lieferschein, Fehlteile-liste, Prüfergebnis
	⬅	tägliche Wareneingangsliste
Wareneingang – Fertigg.-steuerg.	➡	Wareneingangsmeldung, Transportanfor-derung
	⬅	– – –
Wareneingang – Trans-port	➡	Transportanstoß
	⬅	Transportankündigung
Wareneingang – Instand-haltung	➡	Störmeldung, Maschinendaten (MDE)
	⬅	– – –
Wareneingang – Stamm-daten	⬅	Werkzeug-, Betriebsmittel-, Werkstoff-daten, NC-, RC-, SPS-, Prüfprogramme, Prüfpläne
Wareneingang – Kunde	➡	Bestätigung
	⬅	Reklamation
Wareneingang – Lieferant	➡	Eingangsbescheinigung, Rücklieferungs-schein (Reklamationsgrund)
	⬅	Lieferschein

Bild 3.9.2–3: Wareneingang (Schnittstellen und Dateninhalt)

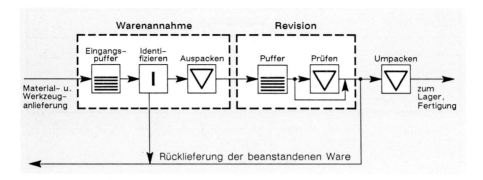

Bild 3.9.2–4: Wareneingang (Materialfluß)

3.9.3 Lager

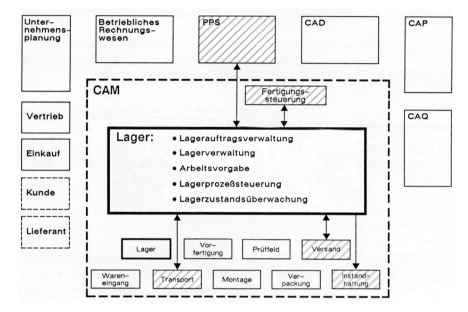

Bild 3.9.3-1: Lager (Funktionen und Schnittstellen)

Detaillierung: • **Lagerauftragsverwaltung**
    – Aufträge entgegennehmen
    – Verfügbarkeitskontrolle
    • **Lagerverwaltung**
    – Verbuchung der Lager-Zugänge und Abgänge
    – Regalplatzzuweisung
    – Bestandsüberwachung
    – Durchführung von Inventuren
    – Verwaltung der Zwischenläger in der Fertigung
    • **Arbeitsvorgabe**
    – Ein-, Auslagerungen disponieren
    – Regalförderzeuge bestimmen
    – Reihenfolgeberechnung
    • **Lagerprozeßsteuerung**
    – Identifizieren der Lagerzugänge (I-Punkt)
    – Einlagerungssteuerung der Regalförderzeuge (RFZ)
    – Wiedereinlagern nach Kommissionierung
    – Auslagerungssteuerung der Transportmittel
    – Warenkontrolle (K-Punkt)
    – Kommissionierung für die Montage

- **Lagerzustandsüberwachung**
  - Prozeßabbild führen
  - Verfügbarkeitsüberwachung
  - Störungen an die Instandhaltung melden.

Die Aufgabe des Lagers besteht im Speichern von Material und Betriebsmitteln zur Entkopplung und termingerechten Versorgung von Fertigungsbereichen. Dazu werden operative und verwaltende Funktionen benötigt:

- Zu den **operativen** Funktionen gehören:
  Identitäts- und Mengenprüfung durchführen, Ein-/Auslagerungsaufträge anstoßen und überwachen, Kommissionierung, Inventur.

- Zu den **verwaltenden** Funktionen gehören:
  Lagerplatzverwaltung, Bestandsführung, Auftragsverwaltung, Material-Reservierung.

Um das im Lager gebundene Kapital zu minimieren, wird oft der Verzicht auf das Lager gefordert (Just in Time-Anlieferung). Dadurch wird die Produktion jedoch vollständig abhängig von einem oder wenigen Zulieferanten. Falls sich der Lieferant verpflichtet, seine Produktion kurzfristig auf den Bedarf des Kunden anzupassen, muß er entstehende Mehrkosten auf den Stückpreis umlegen. Deshalb ist für jedes Teil einzeln zu klären, ob eine Verringerung der Lagermenge eine Gesamtkosteneinsparung erzielt.

Abgrenzung zwischen Lager und Puffer:

Das **Lager** soll Prognoseunsicherheiten, Durchlaufzeit-Schwankungen und Lieferverzüge ausgleichen. Außerdem ermöglicht es wirtschaftliche Losgrößen (bei Bestellungen und in der Fertigung).

Der **Puffer** dient zum Abfangen von Maschinenstörungen, unterschiedlichen Taktzeiten und verschiedenen Arbeitszeitmodellen. Der funktionale Aufbau der operativen und verwaltenden Funktionen entspricht weitgehend dem im Lager, kann sich jedoch in einigen Bereichen vereinfachen.

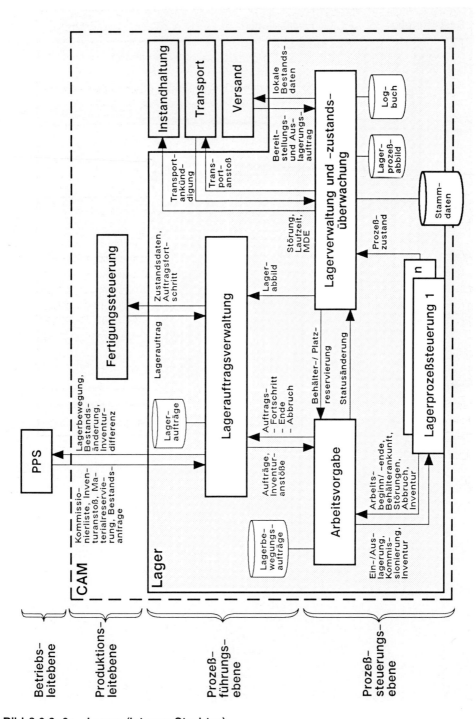

Bild 3.9.3–2:   Lager (Interne Struktur)

Schnittstelle		Dateninhalt
Lager – PPS	➤	Lagerbewegung, Bestandsänderung, Inventurdifferenz
	◀	Kommissionierliste, Inventuranstoß, Material-reservierung, Bestandsanfrage
Lager – Fertig.-steuerg.	➤	Zustandsdaten, Auftragsfortschritt
	◀	Lagerauftrag
Lager – Transport	➤	Transportanstoß
	◀	Transportankündigung
Lager – Versand	➤	lokale Bestandsdaten
	◀	Bereitstellungs- und Auslagerungsauftrag
Lager – Instand-haltung	➤	Störmeldung, Laufzeit, MDE
	◀	– – –
Lager – Stamm-daten	◀	Teilestammdaten, Erzeugnisstruktur, Werkzeuge, Betriebsmittel

Bild 3.9.3–3: Lager (Schnittstellen und Dateninhalt)

1) Lagersystem mit statischer Kommissionierung

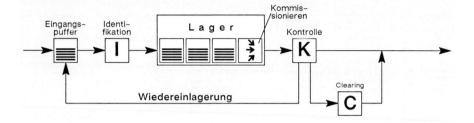

2) Lagersystem mit dynamischer Kommissionierung

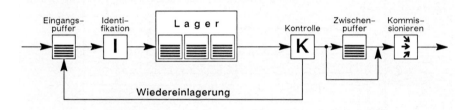

Bild 3.9.3–4: Lager (Materialfluß)

3.9.4 Transport

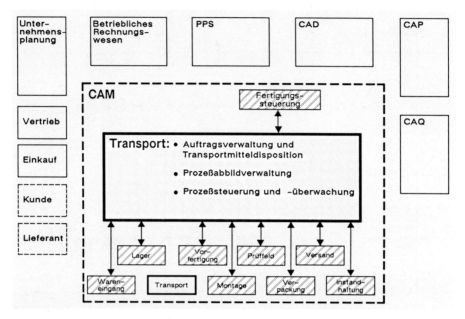

Bild 3.9.4-1: Transport (Funktionen und Schnittstellen)

Detaillierung: • **Auftragsverwaltung und Transportmitteldisposition**
  – Transportmittelverwaltung (inkl. Leerfahrzeuge)
  – Transportauftragsverwaltung (s.u.)
    (Termine, Prioritäten, Reihenfolge)
  – Zuordnung von Aufträgen zu Transportmitteln (Disposition)
  – Überwachungsfunktionen
• **Prozeßabbildverwaltung**
  – aktuelles Abbild führen
  – Prozeßabbild weitergeben
• **Prozeßsteuerung und –überwachung**
  – Kollisions- und Blockadeverhinderung
  – Routing (Wegfestlegung und Richtungssteuerung für T.–Mittel)
  – Auftragsbearbeitung, Koordinierung zwischen Transport- und
    Lastübergabesystem
  – Transportüberwachung.

Aufgabe des Transports ist die Ausführung der von der Fertigungssteuerung vorgegebenen Transportaufträge.

Transportaufträge bestehen entweder aus

- kompletten Aufträgen mit Angabe von Quelle, Ziel, Termin und ggf. Art der Ware
- Reservierungen und/oder
- Teilzielen, Abrufen.

Rückmeldungen zu den den einzelnen Transportaufträgen können

- Quittungen
- Auftragsfortschritt
- Störungen
- Belastungen sein.

Der Transport wird üblicherweise durch eine der folgenden Varianten gesteuert:

- An Weichen wird die Transporteinheit identifiziert und das Ziel abgefragt.
- Es wird ein ständiges Abbild über die Transportwege geführt. Dieses Abbild steuert zusammen mit der Zielvorgabe die Weichen.
- Die Transporteinheit trägt selbst einen mobilen Datenspeicher, der bereits an der Quelle mit der Zielvorgabe codiert wird. Die Weichen lesen den Datenspeicher und werden dadurch gesteuert. Der abgebende Bahnhof erhält von der Transportsteuerung das Ziel, der empfangende Bahnhof meldet den Vollzug.

Beim **manuellem Transport** werden Transportquelle und Ziel über Terminals oder Drucker ausgegeben. Die Rückmeldung erfolgt häufig implizit durch Ankunft des Materials am Ziel.

Der Transport (von Gütern aller Art) innerhalb und außerhalb eines Produktionsunternehmens kann in 6 **Ebenen** eingeteilt werden:

- **Ebene 1** (Unternehmensebene extern):
  betriebs-/konzernexterner Transport von den Zulieferern und zu den Kunden
- **Ebene 2** (Unternehmensebene intern):
  konzerninterner Transport zwischen einzelnen Werken
- **Ebene 3** (Betriebsebene):
  Transport zwischen Betriebsbereichen wie Lager, Vorfertigung etc.
- **Ebene 4** (Bereichsebene):
  Transport zwischen mehreren Zellen eines Bereiches
- **Ebene 5** (Zellenebene):
  Verknüpfung mehrerer Maschinen oder Bearbeitungszentren im Zellenbereich
- **Ebene 6** (Maschinenebene):
  Versorgung lokal an einer Maschinen

Die Ebenen 1 und 2 lassen sich der Beschaffung und die Ebenen 3 bis 6 der Verteilung von Waren zuordnen. Der Schwerpunkt der Automatisierung im Materialfluß liegt auf den Ebenen 3 bis 6. Zukünftig gilt es auch, die Lieferanten (Ebene 1) enger einzubeziehen, z.B. durch Just-in-time Konzepte (JIT). Die Funktionen zweier Ebenen können durch ein gemeinsames Transportsystem (z.B. Portalroboter für Ebenen 4 und 5) ausgeführt werden. Die Ebene 6 repräsentiert die Material- und Werkzeughandhabung in der Maschine.

Transport – Ebenen	Transport – Systeme
1 Unternehmen (extern)	LKW, Bundesbahn, Schiff, …
2 Unternehmen (intern) (mit verschiedenen Standorten)	LKW, Bahn, Schiff, …
3 Betrieb	Hängebahn, Gabelstapler, FTS, …
4 Bereich	Portalroboter, Rollenbahn, FTS, …
5 Zelle	Robotor, Rollenbahn, Portalroboter, FTS, …
6 Maschine	Drehtisch, Werkstückträger, …

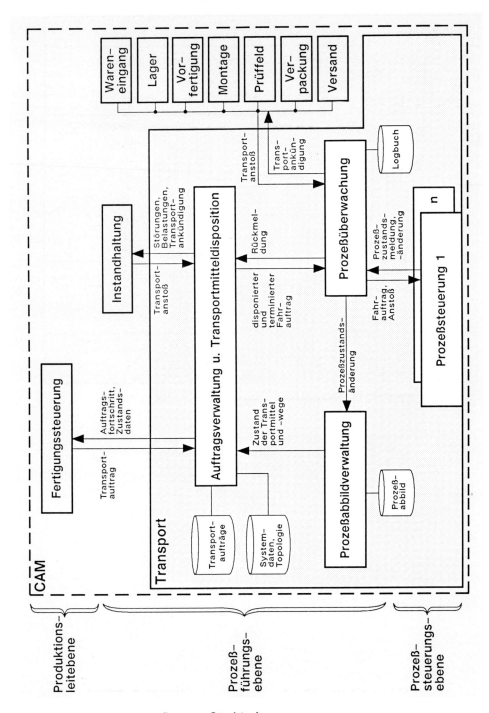

Bild 3.9.4–2: Transport (Interne Struktur)

Schnittstelle		Dateninhalt
Transport – Fertigungs- steuerung	➡ ⬅	Zustandsdaten, Auftragsfortschritt Transportauftrag
Transport – Waren- eingang – Lager – Vorfertigg. – Montage – Prüffeld – Verpackung – Versand	➡ ⬅	Transportankündigung Transportanstoß
Transport – Instand- haltung	➡ ⬅	Störungen, Transportmitteldaten, –ankün- digung Transportanstoß
Transport – Stamm- daten	⬌	– – –

Bild 3.9.4–3: Transport (Schnittstellen und Dateninhalt)

3.9.5   Vorfertigung (= Teilefertigung)

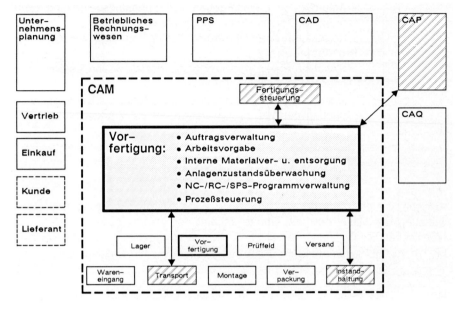

Bild 3.9.5-1:   Vorfertigung (Funktionen und Schnittstellen)

Detaillierung: • **Auftragsverwaltung**
– Entgegennahme und Verwaltung der von der Fertigungs-
steuerung vorgegebenen Zellenaufträge
– Auftragseinplanung-, änderung, -stornierung
– Auftragsfortschreibung und Rückmeldung
• **Arbeitsvorgabe**
– Überwachung der Auftragsabarbeitung
– Steuerung der Maschinenbelegung
– Steuerung der Maschinenumrüstung
– Reihenfolgeplanung
– Anstoß des Transportsystems (intern und extern)
• **Interne Materialver- und -entsorgung**
– Verwaltung der Bestände
– Material und Werkzeuge anfordern
– Material- und Werkzeugvorbereitung veranlassen und über-
wachen
• **Anlagenzustandsüberwachung**
– Prozeßzustände filtern und verteilen
– Prozeß visualisieren
– Störmeldungen weitergeben

- Logbuch führen
- Anstoß von Instandhaltungsaufträgen
- **NC-/RC-/SPS-Programmverwaltung**
  - Anfordern und Weitergeben von Fertigungsunterlagen (Programme, Zeichnungen, Arbeitspläne)
  - Korrekturen durchführen und Fehler dem CAP melden
- **Prozeßsteuerung**
  - Maschine rüsten (Werkzeuge bereitstellen, voreinstellen, einspannen und Programm laden)
  - Werkstücke bereitstellen (Werkstücke manuell oder mit Handhabungsgerät in die Maschine oder auf Werkstückträger einspannen)
  - Werkstück bearbeiten
  - Status rückmelden.

Aufgabe der Prozeßsteuerung der Vorfertigung ist die Steuerung und Überwachung der Maschinen und Geräte anhand der vorgegebenen Aufträge und technischen Steuerdaten. Hierbei wird zwischen handgesteuerten Arbeitsplätzen bis hin zu hochautomatisierten Bearbeitungszentren unterschieden.

Die Unterschiede im Fertigungsbereich hinsichlich verschiedener

- Technologien,
- Verkettungsstufen und
- Strukturtypen

werden im Anschluß an "Technologien in der Fertigung" detailliert beschrieben und tabellarisch gegenübergestellt.

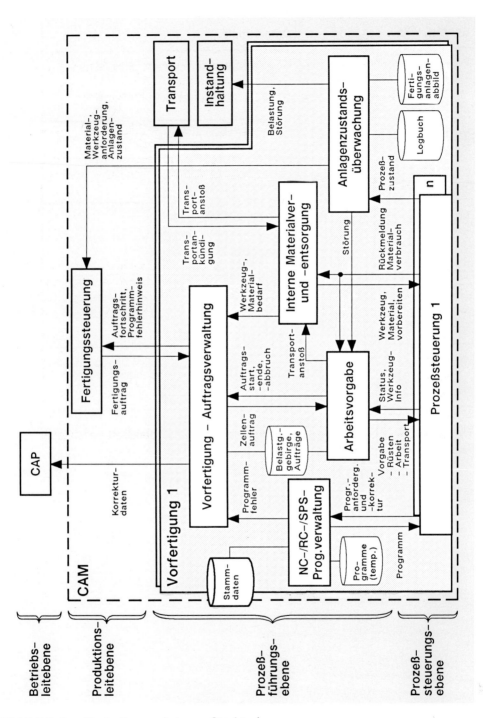

Bild 3.9.5–2   Vorfertigung (Interne Struktur)

Schnittstelle		Dateninhalt
Vorfertigung – CAP	➡ ⬅	Korrekturdaten (Programm, Arbeitsunter- lagen) – – –
Vorfertigung – Fertig.- Steuerg.	➡ ⬅	Zustandsdaten, Auftragsfortschritt, Material-, Werkzeuganforderung/ –rücklieferung, Pro- gramm- oder Unterlagenfehlerhinweis Fertigungsauftrag
Vorfertigung – Trans- port	➡ ⬅	Transportanstoß Transportankündigung
Vorfertigung – Instand- haltung	➡ ⬅	Belastung, Störung – – –
Vorfertigung – Stamm- daten	⬅	Betriebsauftragsdaten, Zeichnungen, Stück- listen, Werkzeug- / Betriebsmitteldaten, NC-, RC-, SPS-Programme, (Prüfpläne)

Bild 3.9.5-3:   Vorfertigung (Schnittstellen und Dateninhalt)

3.9.5.1   Technologien in der Fertigung

Die Technologien in der Fertigung werden anhand der eingesetzten Verfahren in 6 Hauptgruppen eingeteilt (DIN 8580).
In der Werkstattfertigung beispielsweise sind die den einzelnen Technologien zugeordneten Maschinen in Werkstattbereichen zusammengefaßt (s. Bild 3.9.5-8). Im Gegensatz dazu sind in der Fließfertigung (s. Bild 3.9.5-7) die verschiedenen Fertigungstechnologien so angeordnet, wie es die Bearbeitungsreihenfolge des jeweiligen Produkts erfordert.

Die nachfolgenden Betrachtungen beschränken sich auf die Materialfluß-Darstellung der klassischen Vorfertigung und Montage. Zur Herstellung eines Produktes sind meist mehrere der aufgeführten Technologien notwendig. Zur Automatisierung der Produktion können die Fertigungsbereiche unterschiedlich verkettet sein.

Urformen	Umformen	Trennen	Fügen (Montieren)	Beschichten	Stoffeigenschaften ändern
Gießen	Walzen	Schneiden	Zusammenlegen	Spritzen	Einbringen von Stoffteilchen
Spritzgießen	Längen	Spanen	– Schichten	Auftragsschweißen	– Legieren
	Weiten	– Drehen	– Einlegen	Auftragslöten	– Einsatzhärten
	Biegeumformen	– Fräsen	– Einhängen	elektrolytisches Beschichten	
	Schubumformen	– Hobeln	Füllen		Umlagerung von Stoffteilchen
	Pressen	– Räumen	An- u. Einpressen		– Induktionshärten
		– Sägen	– Schrauben		Schmieden
		– ...	– Klemmen		
		Abtragen	Schweißen		
		– thermisch	Löten		
		– chemisch	Umformen		
		– elektrochem.	– Nieten		
		Zerlegen	Kleben, Kitten		

Bild 3.9.5-4:   Fertigungstechnologien (DIN 8580, Metallverarbeitung)

3.9.5.2 Verkettungsstufen von Bearbeitungsstationen innerhalb von Produktionsbereichen

Folgende Verkettungsstufen von Bearbeitungsstationen wie z.B. Drehen, Fräsen etc. können unterschieden werden:

1. **Stufe: starre Verkettung**
   Kennzeichen: gleiche Taktzeiten, feste Stationsreihenfolgen, keine Pufferwirkung, d.h. bei Ausfall einer Station fallen alle anderen Stationen auch aus (Beispiel: Transferstraße).
2. **Stufe: lose Verkettung**
   Kennzeichen: nahezu gleiche Taktzeiten, feste Stationsreihenfolge, Pufferwirkung, d.h. der Ausfall einer Station kann einige Zeit überbrückt werden.
3. **Stufe: zielkodierte Verkettung**
   Kennzeichen: Stationsreihenfolge ist nicht fest, es können bestimmte Stationen übersprungen werden, d.h. weitere Erhöhung der Flexibilität.
4. **Stufe: wegflexible Verkettung**
   Kennzeichen: Stationen sind völlig unabhängig voneinander, d.h. flexibelste Verkettungsart.
   Zur Ausnutzung der damit erzielbaren Flexibilität ist jedoch ein hoher Steuerungsaufwand notwendig (Materialflußlogistik).

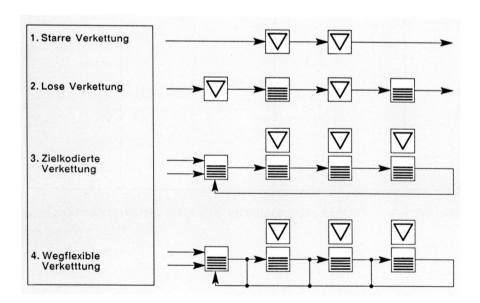

Bild 3.9.5-5: Verkettungstufen von Bearbeitungsstationen

3.9.5.3 Übersicht über die Strukturen der Vorfertigung

In den Produktionsbereichen der Vorfertigung lassen sich drei verschiedene Grundstrukturen unterscheiden:

– Fließfertigung,
– Werkstattfertigung (Verrichtungsprinzip) und
– Flexible Fertigung.

Neben diesen drei grundsätzlichen Strukturtypen haben sich heute weitere Abstufungen herausgebildet (s. Bild 3.9.5-6). Diese Einteilung gilt für die Vorfertigung genauso wie für die Montage.

Die jeweilige Eignung ist abhängig von der erforderlichen Flexibilität und Produktivität. Wesentliche Randbedingungen werden dabei durch Produktspektrum, Losgröße, Bearbeitungsreihenfolge und Auslastungsziel vorgegeben.

Folglich ist bei diesen Strukturtypen auch der Automatisierungsgrad von Anlagenkomponenten wie Transportsystemen, Bearbeitungsmaschinen, Werkstückbereitstellungs– und Handhabungssystemen sowie der Werkzeugversorgung unterschiedlich hoch ausgeprägt.

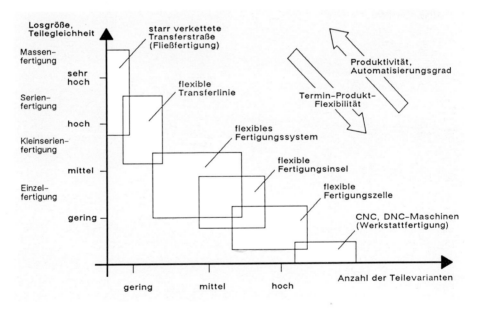

Bild 3.9.5-6: Ausführungsformen von automatisierten Produktionsanlagen

153

Unabhängig von dem Fertigungsprinzip gilt hinsichtlich der Werkstückhandhabung am Arbeitsplatz das gleiche Grundprinzip:

Prismatische Teile können meist während mehrerer Arbeitsgänge auf demselben Werkstückträger eingespannt bleiben. Drehteile dagegen müssen in jeder Maschine neu eingespannt werden.

Die drei Strukturen in der Fertigung werden auf den folgenden Seiten nacheinander beschrieben und durch das jeweilige Materialflußbild verdeutlicht. Zusammenfassend werden die Strukturtypen abschließend tabellarisch gegenübergestellt.

Fließfertigung

Typische Merkmale: – starre oder lose verkettete Fertigungseinheiten,
– Anordnung der Maschinen gemäß Bearbeitungsrei-
henfolge

Beispiel: Bestückautomaten für radiale und axiale Bauelemente,
IC's (DIP) und Exoten

Kriterium	**Ausprägung**
Produktflexibilität	bis auf Varianten gleiche Teile
Produktivität	groß
Durchlaufzeit	klein
Losgröße	groß
Rüstaufwand	sehr aufwendig oder unmöglich
Bearbeitungsart	in großen Losen
Materialfluß	starr oder lose verkettet
Materialflußsteuerung	durch Materialfluß selbst gesteuert
Transport	in kleinen Stückzahlen
Störungsauswirkung	groß

Fertigungslinie 1: (Z.B. für rotationssym. Teile, die am jeweiligen Arbeitsplatz eingespannt werden)

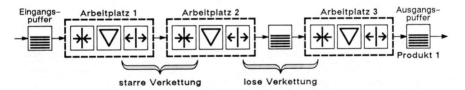

Fertigungslinie 2: (Z.B. für prismatische Teile)

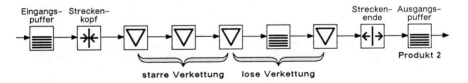

Typische Merkmale :
o Maschinen   : starr oder lose verkettet, Anordnung nach Bearbeitungsreihenfolge
o Teilespektrum: bis auf Varianten gleiche Teile (Stückfertigung) bzw. gleich
Komponenten (Verfahrenstechnik)

Bild 3.9.5-7:   Fließfertigung (Materialfluß)

Werkstattfertigung (Verrichtungsprinzip)

Typische Merkmale: – Räumliche Zusammenfassung von Maschinen nach
                           Technologien
                         – klassische, weitverbreitete Fertigungsstruktur
                         – zunehmender Anteil NC-Maschinen
                         – Ein- oder Mehrmaschinenbedienung

Beispiel: Betriebsmittelfertigung in der Automobilindustrie

Kriterium	Ausprägung
Produktflexibilität	viele unterschiedliche Teile
Produktivität	klein bis groß (je nach Loszusammenstellung)
Durchlaufzeit	groß
Losgröße	klein – groß
Rüstaufwand	Rüstzeit groß bzw. klein, je nachdem ob konventionelle oder NC-Maschine
Bearbeitungsart	losweise
Materialfluß	flexibel, selten automatisch
Materialflußsteuerung	DV-unterstützbar
Transport	losweise
Störungsauswirkung	gering

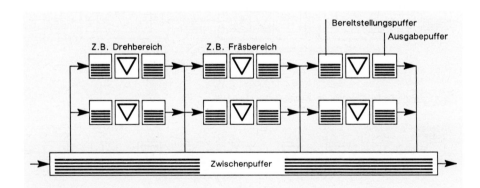

Typische Merkmale :
o Maschinenstruktur: Zusammenfassung von Maschinen nach Technologien
                     (z.B. Drehen, Fräsen ...)
o Teilespektrum   : viele unterschiedliche Teile

Bild 3.9.5-8:   Werkstattfertigung (Verrichtungsprinzip), (Materialfluß)

Flexible Fertigung

Typische Merkmale:	– Maschinen flexibel verkettet,
	– sich ergänzende und ersetzende Maschinen,
	– Kombination der Vorteile aus Werkstattprinzip und Fließprinzip,
	– Materialfluß und Bearbeitung sind hochautomatisiert
Beispiel:	Bearbeitung von Blechteilen, Drehteilen, prismatischen Teilen etc.

Kriterium	**Ausprägung**
Produktflexibilität	ähnliche Teile (Teile–Familien)
Produktivität	mittel
Durchlaufzeit	variabel, meist mittellang
Losgröße	variabel
Rüstaufwand	gering, Rüstzeit klein
Bearbeitungsart	werkzeugweise oder magaziniert
Materialfluß	flexibel
Materialflußsteuerung	mit DV zwingend
Transport	werkzeugweise oder magaziniert
Störungsauswirkung	mittel

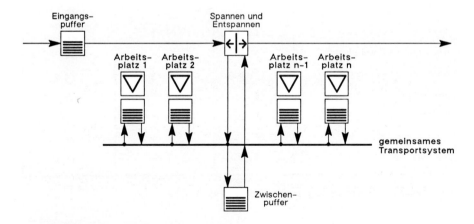

Typische Merkmale:
o Maschinen   : flexibel verkettet
o Teilespektrum : ähnliche Teile (Familien)

Bild 3.9.5–9:   Flexible Fertigung (Materialfluß)

	Fließfertigung	Werkstattfertigung	Flex. Fertigung (FFS)
Maschinenaufstellung	starr oder lose verkettet	technologisch gruppiert	flexibel verkettet
Produktflexibilität	bis auf Varianten gleiche Teile	viele untersch. Teile	ähnliche Teile (Familien)
Produktivität	groß	klein	mittel
Durchlaufzeiten	klein	groß	mittel
Losgröße	groß	klein – groß	mittel
Rüstaufwand	---	Rüstzeit groß	Rüstzeit klein
Bearbeitungsart	in großen Losen	losweise	werkstückweise oder magaziniert
Materialfluß	starr od. lose verkettet	flexibel	flexibel
Materialflußsteuerung	durch Materialfluß	DV-unterstützbar	mit DV zwingend
Transport	in kleinen Stückzahlen	losweise	werkstückweise oder magaziniert
Störungsauswirkung	groß	gering	mittel

Bild 3.9.5-10: Strukturen der Vorfertigung

	Fließfertigung	Werkstattfertigung	Flexible Fertigung
Betriebsmittel bereitstellen	O	O	◖
Betriebsmittel beladen (zuführen)	O	O	◖
Werkstücke bereitstellen	◖	O,◖	●
Werkstücke spannen	◖	O	●
Werkstücke beladen (zuführen)	O,◖	O,◖	◖,●
Bearbeiten	◖	◖	●
Prüfen	◖	◖	●
Material-Identifizierung	◖	O,◖	●
NC-Versorgung	O,◖,●	O,◖,●	◖,●

O = manuell   ◖ = teilweise automatisiert   ● = automatisiert

Bild 3.9.5-11: Funktionen und Automatisierungsgrad in der Vorfertigung

3.9.6 Montage

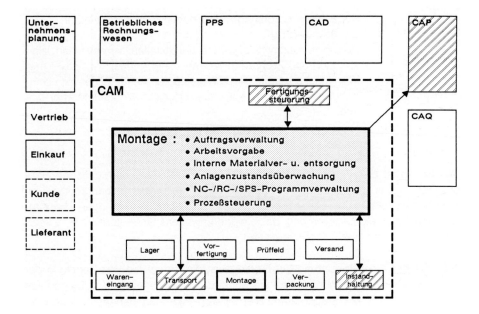

Bild 3.9.6-1: Montage (Funktionen und Schnittstellen)

Detaillierung:
- **Auftragsverwaltung**
  - Entgegennahme und Verwaltung der Zellenaufträge
  - Auftragseinplanung-, änderung, -stornierung
  - Auftragsfortschreibung und Rückmeldung
- **Arbeitsvorgabe**
  - Überwachung der Auftragsabarbeitung
  - Steuerung der Maschinenbelegung
  - Steuerung der Maschinenumrüstung
  - Reihenfolgeplanung
  - Anstoß des Transportsystems (intern und extern)
- **Interne Materialver- und -entsorgung**
  - Verwalten der Bestände
  - Material und Werkzeuge anfordern
  - Material- und Werkzeugvorbereitung veranlassen und überwachen
- **Anlagenzustandsüberwachung**
  - Prozeßzustände filtern und verteilen
  - Prozeß visualisieren
  - Störmeldungen weitergeben
  - Logbuch führen
  - Anstoß von Instandhaltungsaufträgen

- **NC-/RC-/SPS-Programmverwaltung**
  - Anfordern und Weitergeben von Fertigungsunterlagen (Programme, Zeichnungen, Arbeitspläne)
  - Korrekturen durchführen und Fehler dem CAP melden
- **Prozeßsteuerung**
  - Maschine rüsten (Werkzeuge bereitstellen, voreinstellen, einspannen und Programm laden)
  - Werkstücke bereitstellen (Werkstücke manuell oder mit Handhabungsgerät in die Maschine oder auf Werkstückträger einspannen)
  - Werkstück bearbeiten
  - Status rückmelden.

Montieren ist das Verbinden von Einzelteilen oder bereits vormontierten Baugruppen. Dabei wird zwischen Grund- und Anbauteilen bzw. -baugruppen unterschieden. Grundteile sind meist tragende Teile (z.B. Wellen oder Chassis), die sich beim Montagevorgang dazu eignen, weitere Anbauteile (z.B. Lager, Zahnräder, Dichtringe ...) aufzunehmen.

Aufgabe der Prozeßsteuerung der Montage ist die Steuerung und Regelung der Montage- und Handhabungsvorgänge anhand der vorgegebenen Auftragsdaten und der technischen Steuerdaten. Hierbei wird zwischen handgesteuerten Arbeitsplätzen bis hin zu hochautomatisierten Montagezentren unterschieden.
Der Montageauftrag enthält alle zu den Montagevorgängen gehörenden Arbeitsplanpositionen.

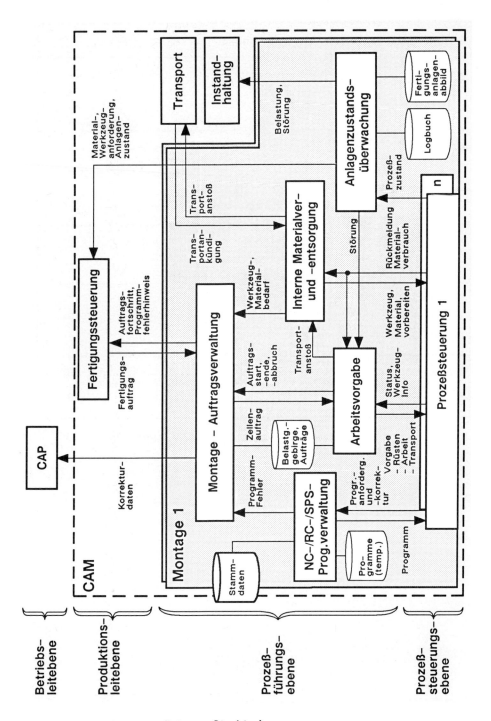

Bild 3.9.6–2: Montage (Interne Struktur)

Schnittstelle		Dateninhalt
Montage – CAP	➡	Korrekturdaten (Programm, Arbeitsunter-lagen)
	⬅	– – –
Montage – Fertig.-Steuerg.	➡	Zustandsdaten, Auftragsfortschritt, Material–, Werkzeuganforderung/ –rück-lieferung, Programm– oder Unterlagenfehler-hinweis
	⬅	Fertigungs–(Montage)auftrag
Montage – Transport	➡	Transportanstoß
	⬅	Transportankündigung
Montage – Instand-haltung	➡	Belastung, Störung
	⬅	– – –
Montage – Stamm-daten	⬅	Betriebsauftragsdaten, Zeichnungen, Stück-listen, Werkzeug– / Betriebsmitteldaten, NC–, RC–, SPS–Programme, (Prüfpläne)

Bild 3.9.6.–3:   Montage (Schnittstellen und Dateninhalt)

3.9.6.1   Übersicht über die Strukturen der Montage

In den Produktionsbereichen der Montage lassen sich folgende Grundstrukuren unterscheiden:

- Fließmontage,
- Werkstattmontage (Verrichtungsprinzip),
- Flexible Montage,
- Baustellenmontage.

Diese vier Strukturen sind üblicherweise durch einen unterschiedlich hohen **Automatisierungsgrad** in der

- Werkstückbearbeitung,
- Werkstückhandhabung,
- Werkzeugversorgung und im
- Materialtransport

gekennzeichnet.

Für die verschiedenen Strukturen sind Warenzu- und -abgang jedoch gleich:

Warenzugang: Grundteile, Anbauteile (Einzelteile, Baugruppen),
                        Betriebsmittel (Werkzeuge, Hilfsstoffe ...)
Warenabgang: montierte Teile (Baugruppen, Endprodukte), Betriebsmittel

Nachfolgend werden die Strukturen im Detail betrachtet, abschließend tabellarisch verglichen.

Fließmontage

Typische Merkmale: – Anordnung der Stationen gemäß Montagefolge,
– starr oder lose verkettete Montageeinheiten mit auto-
matisiertem Werkstücktransport,
– Hauptlinie wird vom Grundteil durchlaufen,
– Seitenlinien montieren Baugruppen und führen diese
an die Hauptlinie heran

Beispiel: Schweißstraße in der Automobilfertigung, Elektromoto-
renmontage.

Kriterium	Ausprägung
Produktflexibilität	bis auf Varianten gleiche Teile
Produktivität	groß
Durchlaufzeit	klein
Losgröße	groß
Rüstaufwand	sehr groß oder unmöglich
Bearbeitungsart	losweise
Materialfluß	starr oder lose (über Puffer) verkettet
Materialflußsteuerung	durch Materialfluß selbst gesteuert
Transport	in kleinen Stückzahlen
Störungsauswirkung	groß

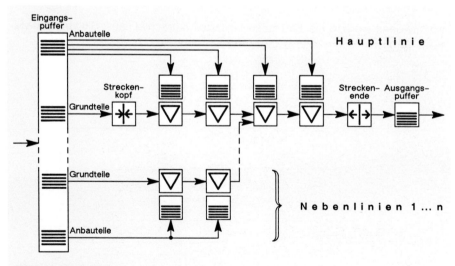

Typische Merkmale :
o Montagestationen : Starr oder lose verkettet
o Teilespektrum   : Bis auf Varianten gleiche Teile

Bild 3.9.6–4: Fließmontage (Materialfluß)

Werkstattmontage (Verrichtungsprinzip)

Typische Merkmale: – Räumliche Zusammenfassung von Montagestationen nach Technologien
– hoher Anteil manueller Tätigkeiten
– klassische, weitverbreitete Montagestruktur

Beispiel: Elektroindustrie, Endmontage von komplexen Produkten

Kriterium	Ausprägung
Produktflexibilität	hoch, viele unterschiedliche Teile
Produktivität	klein
Durchlaufzeit	groß
Losgröße	klein – groß
Rüstaufwand	Rüstzeit groß
Bearbeitungsart	losweise
Materialfluß	flexibel
Materialflußsteuerung	DV-unterstützbar
Transport	losweise; z.B.
Störungsauswirkung	gering

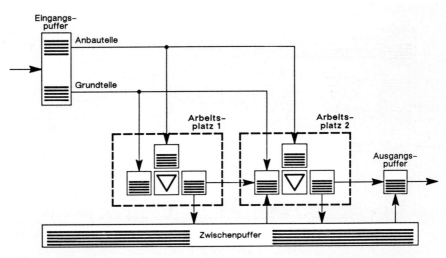

Typisches Merkmale :

o **Maschinenstruktur:** Zusammenfassung von Montagestationen nach Technologien
(z.B. wickeln, löten ...)

o **Teilespektrum**   :   viele unterschiedliche Teile

Bild 3.9.6–5:   Werkstattmontage (Verrichtungsprinzip), (Materialfluß)

Flexible Montage

Typische Merkmale: – Kombination der Vorteile von Werkstattprinzip und
Fließprinzip
– Montagestationen flexibel verkettet
– Materialfluß und Montage hochautomatisiert
– sich ergänzende und ersetzende Montagestationen

Beispiel: Flachbaugruppenbestückung in der Elektroindustrie,
Rohbau in der Automobilindustrie

Kriterium	Ausprägung
Produktflexibilität	viele ähnliche Teile
Produktivität	variabel
Durchlaufzeit	mittel (variabel)
Losgröße	variabel
Rüstaufwand	Rüstzeit klein
Bearbeitungsart	werkstücksweise oder magaziniert
Materialfluß	flexibel
Materialflußsteuerung	mit DV zwingend
Transport	werkstücksweise oder magaziniert
Störungsauswirkung	mittel

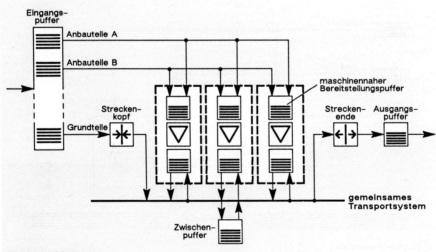

Typische Merkmale :
o Montagestationen : Flexibel verkettet
o Teilespektrum : Ähnliche Teile (Teilefamilien)

Bild 3.9.6–6: Flexible Montage (Materialfluß)

Baustellenmontage

Typische Merkmale: – Großvolumige Endprodukte
– das Werkstück bleibt während der Montage ortsfest
– die Arbeiten werden mit beweglichen Werkzeugen und Vorrichtungen ausgeführt
Beispiel: Flugzeugbau, Turbinenbau

Kriterium	**Ausprägung**
Produktflexibilität	großvolumige Endprodukte
Produktivität	klein – mittel
Durchlaufzeit	klein – mittel
Losgröße	klein – mittel
Rüstaufwand	Rüstzeit groß
Bearbeitungsart	einzeln, manuell
Materialfluß	flexibel
Materialflußsteuerung	DV–unterstützbar
Transport	nur Anbauteile
Störungsauswirkung	klein

(handschriftliche Notiz: mittel – lang ?)

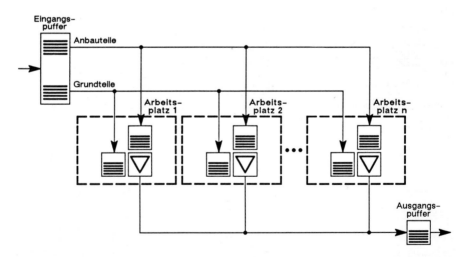

Typische Merkmale:
o ortsfeste Montage
o großvolumiges Endprodukt

Bild 3.9.6–7: Baustellenmontage (Materialfluß)

	Fließfertigung Fließmontage	Werkstattfertigung Werkstattmontage	Flex. Fertigung Flex. Montage	Baustellenmontage
Maschinenauf-stellung	starr oder lose verkettet	technologisch gruppiert	flexibel verkettet	ortsfeste Montage
Produkt-flexibilität	bis auf Varianten gleiche Teile	viele untersch. Teile	ähnliche Teile (Familien)	großvolumige Endprodukte
Produktivität	groß	klein	mittel	---
Durchlaufzeit	klein	groß	mittel	---
Losgröße	groß	klein – groß	mittel	klein – mittel
Rüstaufwand	---	Rüstzeit groß	Rüstzeit klein	Rüstzeit groß
Bearbeitungs-art	in großen Losen	losweise	werkstückweise oder magaziniert	einzeln, manuell
Materialfluß	starr od. lose verkettet	flexibel	flexibel	flexibel
Materialfluß-steuerung	durch Material-fluß	DV-unterstützbar	mit DV zwingend	DV-unterstütz-bar
Transport	in kleinen Stück-zahlen	losweise	werkstückweise oder magaziniert	nur Anbauteile
Störungsaus-wirkung	groß	gering	mittel	gering

Bild 3.9.6–8:   Strukturen der Vorfertigung und Montage

	Fließ-montage	Werkstatt-montage	Flexible Montage	Baustellen-montage
Betriebsmittel bereitstellen	○	○	◑	○
Betriebsmittel beladen (zufüh.)	○	○	◑	-
Grundteile bereitstellen	◑	○,◑	●	○,◑
Grundteile spannen	◑	○	◑	-
Grundteile beladen (zuführen)	◑	○,◑	●	-
Anbauteile bereitstellen	◑	○,◑	◑	○,◑
Anbauteile spannen	◑	○	◑	○
Anbauteile beladen (zuführen)	◑	○	◑	-
Montieren	◑	◑	●	○
Prüfen	◑	◑	●	◑
Material-Identifizierung	◑,●	○,◑	◑,●	○
NC-Versorgung	○,◑,●	○,◑,●	◑,●	-

○ = manuell   ◑ = teilweise automatisiert   ● = automatisiert

Bild 3.9.6–9:   Funktionen und Automatisierungsgrad in der Montage

3.9.7   Prüffeld

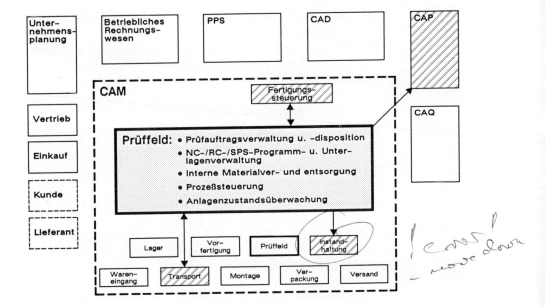

Bild 3.9.7–1:   Prüffeld (Funktionen und Schnittstellen)

Detaillierung: • **Prüfauftragsverwaltung und –disposition**
  – Aufträge entgegennehmen und verwalten
  – Einplanung und Terminbestimmung
  – Verfügbarkeitskontrolle und Reservierung der Betriebsmittel und des Personals
• **NC–/RC–/SPS–Programm– und Unterlagenverwaltung**
  – Programme und Unterlagen anfordern
  – Verwalten des temporären Bestandes
  – Korrekturen ausführen, dem CAP–Bereich Art des Fehlers und der Fertigungssteuerung Programm–Nr. und voraussichtliche Zeitverzögerung melden
  – Programme und Unterlagen an die Prozeßsteuerung weitergeben
• **Interne Materialver– und entsorgung**
  – Verwalten und Bereitstellen der zu prüfenden Teile
  – Prüfmittel und Hilfsmittel anfordern
  – Transportanstoß
• **Prozeßsteuerung**
  • **Betriebsmittel vorbereiten**
    – Prüfvorrichtung rüsten
    – Programm laden

- **Prüfling (Werkstück, Gerät) bereitstellen**
  - identifizieren
  - einspannen
  - elektrische, hydraulische etc. Verbindungen herstellen
- **Prüfung durchführen**
  - Prüfprogramm durchfahren, ggf. Einstellarbeiten ausführen
  - Meßdaten aufnehmen, auswerten und protokollieren
  - Prüfling kennzeichnen (Gutteile, Nacharbeit, Ausschuß)
- **Prüfling abtransportieren**
  - Prüfling ausspannen
  - Transportanstoß (intern)
- **Anlagenzustandsüberwachung**
  - BDE-, MDE-Daten und Meldungen filtern und verteilen
  - Anlagenabbild führen
  - Logbuch führen.

Im Prüffeld wird das Produkt daraufhin überprüft, ob die im Prüfplan geforderten Daten wie Maßtoleranzen oder Funktionswerte erfüllt wurden. Das klassische Prüffeld, in dem alle Prüfstationen zusammengefaßt waren, hat heute an Bedeutung verloren. Die Forderung nach höherer Produktqualität und nach einer Vereinfachung des Materialflusses haben dazu geführt, daß die Prüfung bereits in der Bearbeitungsmaschine oder direkt danach vollzogen wird. Man spricht deshalb von einer **In-Prozeß-Prüfung**, bei der die Fertigungsqualität schrittweise überwacht, dokumentiert und gegebenenfalls durch Nachbearbeitung sofort korrigiert wird.

In der **Endprüfung** wird nach der Montage die Funktion des kompletten Produktes überprüft. Ob die Prüfdatenauswertung dem CAM- oder CAQ-Bereich zugeordnet ist, hängt von dem Umfang der Auswertung und der Organisationsstruktur ab. In jedem Fall wird das Ergebnis der Prüfung praktisch verzögerungsfrei benötigt, um den Prüfling gezielt weiterbearbeiten oder aussortieren zu können.

Der Automatisierungsgrad im Prüffeld reicht wie in der Fertigung von manuell bedienten bis zu vollautomatisierten Prüfstationen.
Bei manuellen Arbeitsplätzen erhält der Bediener die Prüfaufträge über einen Drucker oder ein Rechnerterminal. Aus den Aufträgen und Prüfplänen ersieht er, welche Prüfstation zu benutzen ist, wie sie zu rüsten ist, wie das Prüfobjekt einzuspannen ist und wie die eigentliche Prüfung durchzuführen ist.
Bei automatisierten Prüfstationen werden die technischen Steuerdaten über Lochstreifen, magnetische Datenträger oder direkt (DNC-Betrieb) in die Maschine geladen.

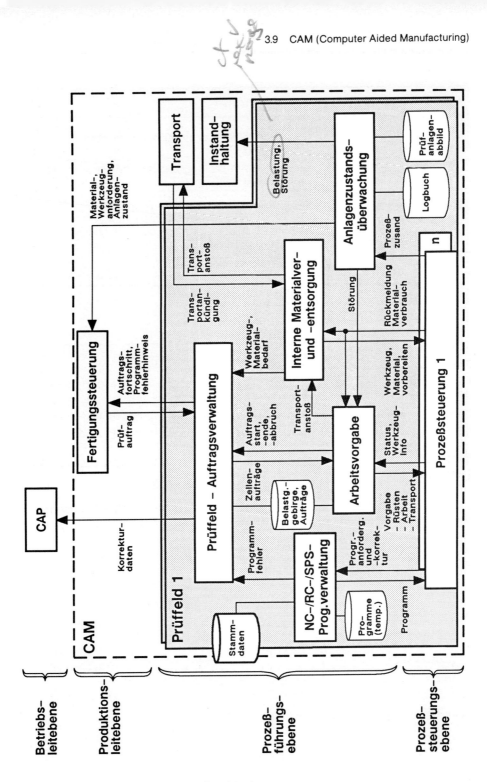

Bild 3.9.7–2: Prüffeld (Interne Struktur)

Schnittstelle		Dateninhalt
Prüffeld – CAP	➡	Korrekturdaten (Programm, Arbeitsunter-lagen)
	⬅	– – –
Prüffeld – Fertigungs-steuerung	➡	Zustandsdaten, Auftragsfortschritt, Material-, Werkzeuganforderung/ –rück-lieferung, Programm- oder Unterlagen-fehlerhinweis
	⬅	Prüfauftrag
Prüffeld – Transport	➡	Transportanstoß
	⬅	Transportkündigung
Prüffeld – Instand-haltung	➡	Störung, Laufzeit (MDE)
	⬅	– – –
Prüffeld – Stammdaten	⬅	Zeichungen, Werkstoffdaten, Prüfpläne, Prüfprogramme

Bild 3.9.7–3: Prüffeld (Schnittstellen und Dateninhalt)

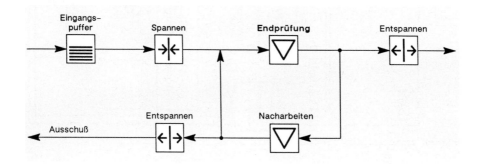

Bild 3.9.7–4: Prüffeld (Materialfluß)

3.9.8 Verpackung

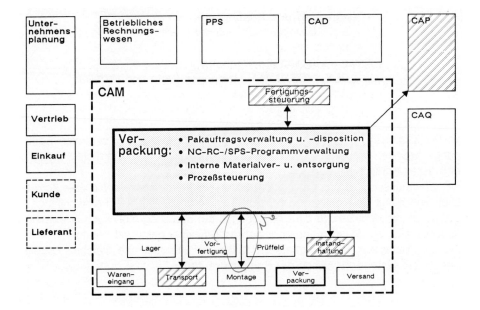

Bild 3.9.8-1: Verpackung (Funktionen und Schnittstellen)

Detaillierung: • **Packauftragsverwaltung und -disposition**
- Aufträge entgegenehmen und verwalten
- Einplanung u. Terminbestimmung
- Verfügbarkeitskontrolle und Reservierung von Packmaterial, Betriebsmittel und Personal
• **NC-/RC-/SPS - Programmverwaltung**
- Programme anfordern
- Verwalten des temporären Programmbestandes
- Korrekturen ausführen und dem CAP-Bereich melden
- Programme an die Prozeßsteuerung weitergeben
• **Interne Materialver- und entsorgung**
- Verwalten und Bereitstellen der zu verpackenden Teile
- Packmaterial anfordern
- Transportanstoß
• **Prozeßsteuerung**
  • **Packmaschine rüsten**
  - Packmaschine bereitstellen und voreinstellen
  - Verpackungsmaterial bereitstellen
  - Programm laden
  • **Ware bereitstellen**

- **Ware bereitstellen**
  - ggf. Funktionssperre zur Transportsicherung einbauen
  - Beipackteile sowie Unterlagen beilegen
- **Verpacken und Beschriften**
  - evtl. Erstellen von kundenspezifischen Verpackungseinheiten
- **Anlagenzustandüberwachung**
  - BDE, MDE–Daten, Meldungen filtern und verteilen
  - Anlagenabbild führen
  - Logbuch führen.

Im Produktionsablauf ist die Verpackung ein Bereich, der den zentralen Fertigungsbereichen (Vorfertigung und Montage) nachgelagert ist und nicht annähernd deren Komplexität aufweist.

Der Automatisierungsgrad der Packstationen reicht von manuell bis vollautomatisch und hängt wesentlich von Stückzahl und Komplexität des Packvorganges ab. Durch die Reduzierung der Losgrößen in der Fertigung muß auch in Verpackungsbereich der Maschinenpark zunehmend flexibel gesteuert werden.

Für die Disposition des Packmaterials gelten im Grundsatz die gleichen Regeln wie für die Materialdisposition der Fertigungsaufträge.

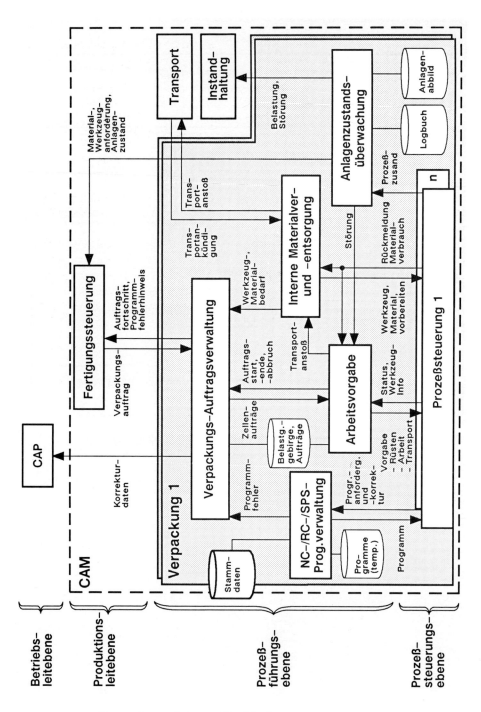

Bild 3.9.8–2:   Verpackung (Interne Struktur)

Schnittstelle		Dateninhalt
Verpackung – CAP	➡️ ⬅️	Korrekturdaten (Programm, Arbeitsunter- lagen) – – –
Verpackung – Fertig.- steuerg.	➡️ ⬅️	Zustandsdaten, Auftragsfortschritt, Material-, Werkzeuganforderung/ –rück- lieferung, Programm- oder Unterlagenfehler- hinweis Verpackungsauftrag
Verpackung – Trans- port	➡️ ⬅️	Transportanstoß Transportankündigung
Verpackung – Instand- haltung	➡️ ⬅️	Störungen, Instandhaltungsauftrag – – –
Verpackung – Stamm- daten	⬅️	Kundenstammdaten, Kundenaufträge, Stücklisten (Versand)

Bild 3.9.8–3:   Verpackung (Schnittstellen und Dateninhalt)

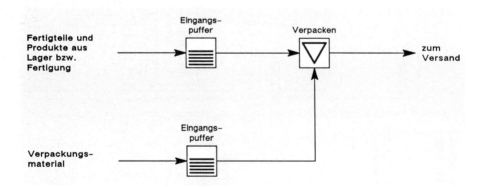

Bild 3.9.8–4: Verpackung (Materialfluß)

3.9.9 Versand

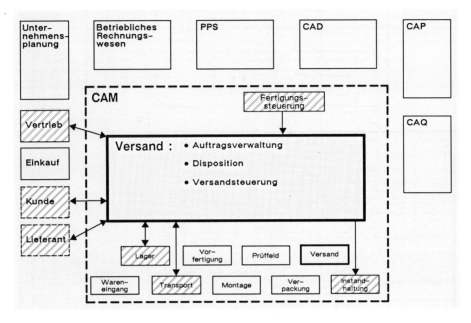

Bild 3.9.9-1: Versand (Funktionen und Schnittstellen)

Detaillierung:
- **Versandauftrags-Verwaltung und Disposition**
  - Aufträge entgegennehmen und verwalten
  - Warenreservierung
  - Auslagerungsanstoß
  - Transportmittelplanung, Auswahl der ext. Transportmittel(TM)
  - Auswahl des Auslieferungslagers (soweit diese nicht im Auftrag enthalten sind)
  - Auswahl der Anlieferungslager
  - Ermittlung der optimalen Beladung und Fahrtroute
- **Versandsteuerung**
  - Auslagerung
  - Kommissionierung
  - Wiedereinlagerung überzähliger Teile
  - Palettieren zu Transportgebinden
  - Versandpapiererstellung
  - Übergabe an Spediteur oder an Versandlager (Spedition).

Aufgabe des Versands ist die Abwicklung der vom Vertrieb freigegebenen Versandaufträge und die Auslieferung der Produkte an die Kunden.

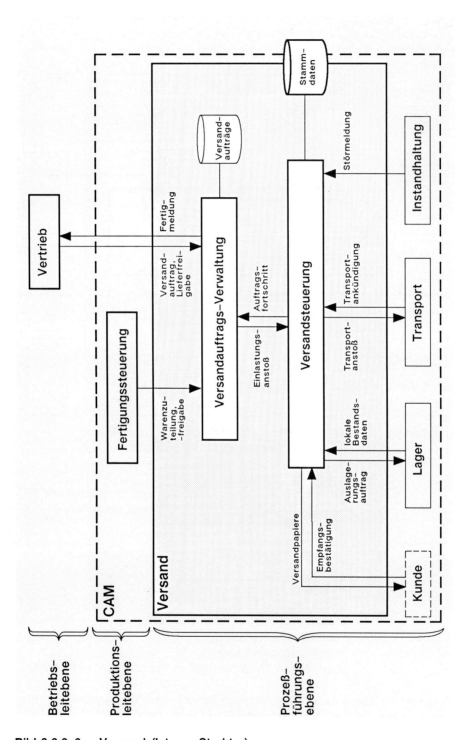

Bild 3.9.9–2:   Versand (Interne Struktur)

Schnittstelle		Dateninhalt
Versand – Vertrieb	➡️ ⬅️	Fertigmeldung Versandauftrag, Lieferfreigabe
Versand – Fertig.- steuerg.	➡️ ⬅️	– – – Warenzuteilung, –freigabe
Versand – Lager	➡️ ⬅️	Bereitstellungs– und Auslagerungsauftrag lokale Bestandsdaten
Versand – Transport	➡️ ⬅️	Transportanstoß Transportankündigung
Versand – Instand- haltung	➡️ ⬅️	Störmeldung, Maschinendaten (MDE) – – –
Versand – Stamm- daten	⬅️	Kundenstammdaten, Auftragsdaten, Versandstücklisten
Versand – Kunde	➡️ ⬅️	Versandpapiere Empfangsbestätigung
Versand – Spedition (Lieferant)	➡️ ⬅️	Speditionsauftrag Frachtrechnung

Bild 3.9.9-3: Versand (Schnittstellen und Dateninhalt)

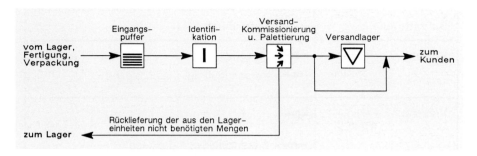

Bild 3.9.9–4: Versand (Materialfluß)

3.9.10   Instandhaltung

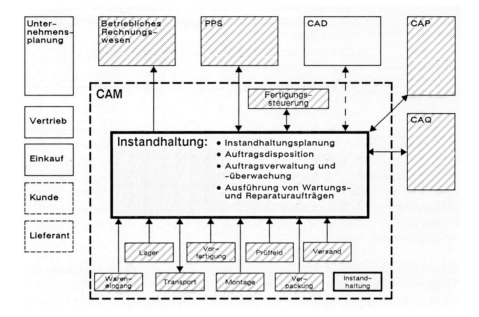

Bild 3.9.10-1: Instandhaltung (Funktionen und Schnittstellen)

Detaillierung: • **Planung der vorbeugenden Instandhaltung**
  – Betriebsmittelabbild führen
  – Dispositionsvorgaben erstellen für Inspektion, kleine Reparaturen, Austausch von Verschleißteilen (was, wie, wann)
  – Disposition anstoßen
  – turnusmäßige Wartung
  – laufzeitabhängige Wartung
• **Auftrags-Disposition**
  – Einplanung
  – Terminbestimmung
  – Verfügbarkeitskontrolle, Ermittlung des Materialbedarfes
  – Reservierung für Material, Ersatzteile, Personal
  – Material-Fremdbedarf ermitteln und Bestellung veranlassen
• **Auftragsverwaltung und -überwachung**
  – Entgegennahme von
    – freigegebenen Wartungsaufträge
    – Störmeldungen
  – Wartungsaufträge erstellen
    – Anweisungen erstellen
  – Verwaltung der Aufträge

- – Einplanung von Reparaturaufträgen
- – Reihenfolgeoptimierung
- – Abweichungen vom vorgegebenen Verlauf kontrollieren
- – Störungsursache, -dauer, Reparaturkosten protokollieren und weitergeben
- **Ausführung von Wartungs- und Reparaturaufträgen**
  - – Diagnose, Störerkennung
  - – Störbehebung
  - – Bericht erstellen
  - – Kosten verbuchen.

Die Instandhaltung ist für die Wahrung der technischen Funktionsfähigkeit (Verfügbarkeit) aller Betriebsmittel (Maschinen, Werkzeuge, Prüfmittel, Steuerungen, Handhabungsgeräte, Transporteinrichtungen,...) verantwortlich. Die Aufgaben umfassen die beiden Bereiche vorbeugende Instandhaltung (Wartung) und Störbeseitigung. Die Wartungsarbeiten der vorbeugenden Instandhaltung können ähnlich wie Fertigungsaufträge nach den Kriterien Personal, Material (Ersatzteile, etc.) disponiert werden.

Bei der Betreuung von Werkzeugen und Vorrichtungen liegt der Schwerpunkt der Tätigkeiten in der Schadensbehebung. Bei den Maschinen steht die Planung und die Durchführung der vorbeugenden Wartung im Vordergrund. Für die Wartung der Maschinen und Anlagen wird in zunehmendem Maße das Vor-Ort-Personal herangezogen, der bisher nur die Verantwortung für die eigentliche Produktbearbeitung hatte.

Neben der Aufrechterhaltung der Funktionsfähigkeit ist die Instandhaltung (bzw. Werkserhaltung) auch für folgende Arbeiten in Zusammenhang mit den Betriebsmitteln zuständig: Planen, Beschaffen, Warten, Betreiben, Transportieren, Neu- und Umbauen sowie Umziehen.

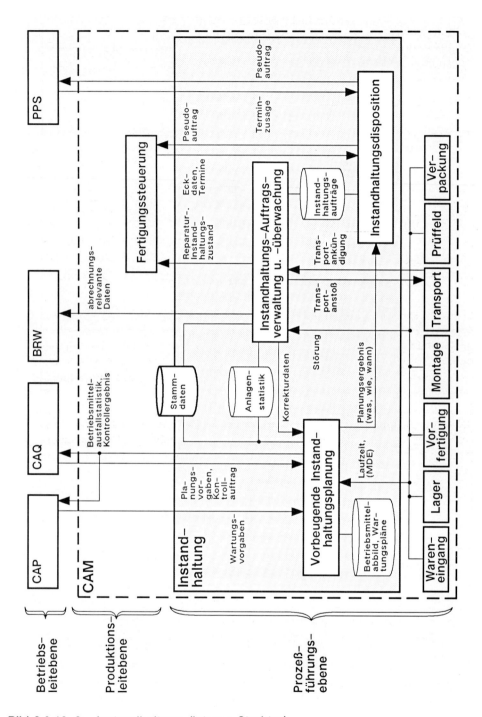

Bild 3.9.10-2:   Instandhaltung (Interne Struktur)

Schnittstelle		Dateninhalt
Instandhaltung – Betriebl. Rechngs.- wesen	→	abrechnungsrelevante Daten
	←	– – –
Instandhaltung – PPS	→	Pseudoauftrag (Material–, Personalbedarf, voraussichtlicher Termin u. Dauer)
	←	Terminzusage
Instandhaltung – CAP	→	Betriebsmittelausfallstatistik
	←	Betriebsmittelwartungsvorgaben
Instandhaltung – CAQ	→	Betriebsmittelausfallstatistik, Kontrollergebnis
	←	Planungsvorgaben, Kontrollauftrag
Instandhaltung – Fertig.- steuerg.	→	Instandhaltungs–/ Reparaturzustand, Pseudoauftrag
	←	Eckdaten (Vorschlags– und Einplanungstermine)
Instandhaltung – Wareneing, Lager, Vorfertigg., Montage, Prüffeld, Verpackg., Versand	→	– – –
	←	Störmeldung, Maschinendaten (MDE)
Instandhaltung – Transport	→	Transportanstoß
	←	Störung, Transportmitteldaten, –ankündigung
Instandhaltung – Stamm- daten	←	Werkzeug–, Betriebsmittel–, Werkstoffdaten, NC–, RC–, SPS–/Prüfprogramme, Prüfpläne

Bild 3.9.10–3: Instandhaltung (Schnittstellen und Dateninhalt)

3.10 Übersichten zum Informationsfluß

Die Tabelle im Bild 3.10-1 zeigt die in den vorhergehenden Darstellungen verwendeten Stammdaten.

Darin sind auch NC–, RC– u.a. Programme enthalten, die generell nicht zu den Stammdaten gehören. Sie können den Stammdaten zugeordnet werden, da auf sie von mehreren Bereichen zugegriffen wird.

Die Anzahl der Schnittstellen eines DV–Systems hängt direkt von der Anzahl der Kommunikationspartner ab, d.h. von wievielen Bereichen (Systemen) Informationen angefordert und an wieviele Informationen weitergegeben werden. Welche Schnittstellen in einem CIM–DV–Konzept zu berücksichtigen sind, zeigen die nachfolgenden Bilder als Zusammenfassung der vorhergehenden Teilkapitel.

Dabei ist immer zu berücksichtigen, daß es sich um eine Modell-Strukturierung handelt. D.h., daß die einzelnen aufgeführten Bereiche in nahezu allen Unternehmen nicht nur einfach sondern *mehrfach* und beliebig verkettet vorhanden sein können. Z.B. CAD: Betriebsmittel-CAD, Produkt-CAD. Z.B. CAM: Vorfertigung Blech, Vorfertigung Kunststoff, Rohbau-Montage, Vor-, Endmontagen ... .

Unternehmens-Bereiche / Stammdaten	Unt.-nehm.plang.	Betr.Rechn.wesen	Ver-trieb	Ein-kauf	PPS	CAD	CAP	CAQ	CAM Fert.steu.	CAM WE	CAM Lager	CAM Trans-port	CAM Vor-fertig.	CAM Mon-tage	CAM Prüf-feld	CAM Ver-packg	CAM Ver-sand	CAM Inst.-haltg.
Lieferantenstammd.	X	X		X	X													
Kundenstammdaten	X	X	X		X											X	X	
Kundenauftragsdat.	X	X	X	X	X		X									X	X	
Betriebsauftragsdat					X	X	X	X	X				X	X				
Kalkulationswerte	X	X	X		X													
Zeichnungen						X	X	X	(X)				X	X	X			
Geometriedaten						X	X	X										
Stücklisten					X	X	X	X	(X)				X	X		X	X	
Teilestammdaten	X	X	X	X	X	X	X	X	X		X	X						
Erzeugnisstrukturen		X	X		X	X	X	X										
Arbeitspläne, neutr.					X	X	X											
Bauvorschriften						X	X	X						X				
Normen						X	X	X										
Werkstoffdaten					X	X	X	X		X								X
Betriebsmitteldaten					X	X	X	X	X		X		X	X	X			X
Werkzeugdaten					X	X	X	X					X	X				X
Arbeitspläne, spez.					X	X	X	X	X				X	X				
Prüfpläne, spez.							X	X	X				(X)	(X)	X			X
NC-/RC-/SPS-Prog.						(X)	X	X					X	X	X			X

(X) = sehr unternehmensspezifisch

Bild 3.10-1: Stammdaten – Zugriffe

NACH \ VON	U.-plang.	BRW	Vertrieb	Einkauf	PPS	CAD	CAP	CAQ	Fert.steu.	War.eing.	Lager	Transport	Vorfertig.	Montage	Prüffeld	Verpack.	Versand	Inst.haltg.	Stammdat	Kunde	Lieferant
Lieferant		X		X					X								X				▓
Kunde		X	X						X								X			▓	
Sta.-daten	X	X	X	X	X	X	X	X											▓		
Inst.halt.					X				X	X	X	X	X	X	X	X	X	▓	X		
Ver-sand			X						X			X	X				▓		X	X	X
Ver-pack.									X			X				▓			X		
Prüf-feld									X			X			▓				X		
Mon-tage									X			X		▓					X		
Vor-fertig.									X			X	▓						X		
Trans-port									X	X	X	▓	X	X	X	X	X	X			
Lager									X		▓						X		X		
WE				X						▓									X	X	X
Fert.steu.					X		X	X	▓	X	X	X	X	X	X	X	X	X			
CAQ	X		X			X	X	▓											X	X	
CAP					X	X	▓	X					X	X	X				X	X	
CAD	X		X			▓	X	X											X		
PPS	X	X	X	X	▓			X			X								X	X	
Ein-kauf		X		▓	X			X											X		X
Ver-trieb	X	X	▓			X	X									X			X	X	
Betr.-Rech.wesen	X	▓	X	X	X	X			X										X	X	X
Unt.-nehm.-plan.	▓	X	X		X	X	X	X											X		

Bild 3.10-2:   Von – Nach – Matrix (Informations-Schnittstellen)

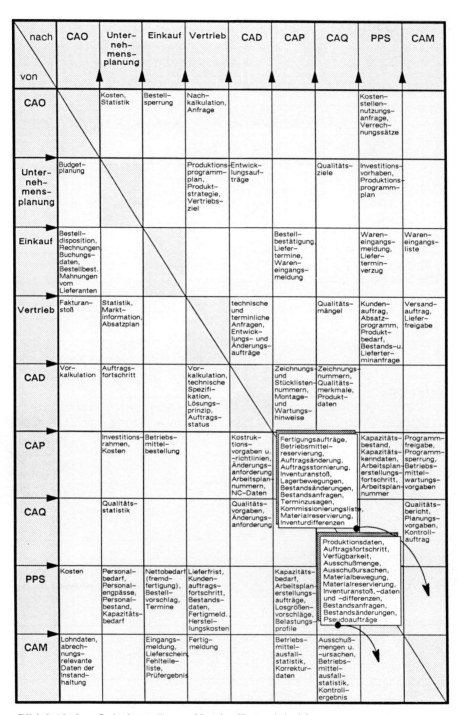

Bild 3.10–3: Schnittstellen – Matrix (Dateninhalt)

3.11 Begriffserläuterung zum Informationsfluß

An dieser Stelle sollen die in Kapitel 3 häufig verwendeten Begriffe kurz erläutert werden.

Eine komplette Erläuterung der im Zusammenhang mit CIM gebrauchten Begrifffe würde den Umfang dieses Werkes sprengen. Für den Bereich PPS sei auf das Lexikon der Produktionsplanung und -steuerung aus dem VDE-Verlag hingewiesen.

Angebotsdaten

Angebotsnummer, Leistungsumfang, Liefertermin, Preis, Pflichtenheft

Anstoß

(Auftragsanstoß), der Anstoß erhält ergänzende, kurzfristige Angaben zum Auftrag, z.B. nach Beenden der Bearbeitung: Transportanstoß oder z.B. genauer Zielort, falls im Auftrag alternative Bearbeitungsmaschinen vorgesehen sind.

Arbeitsplandaten

Arbeitsplan-Nr., Arbeitsgänge, Arbeitsanweisungen, Rüstzeiten, Fertigungszeiten, NC-, RC-, SPS-Programm-Nr., Stücklistenverweis, Angaben zu Werkzeugen, Vorrichtungen, Spann-, Meßgeräten, Arbeitsplatzart, Arbeitsplatzgruppe, Lohngruppe u.a.

Spezifische Arbeitspläne entstehen aus den neutralen Arbeitsplänen durch Ergänzung von auftragsspezifischen Daten wie Auftragsnummer, Losgröße und Termin.

BDE (Betriebsdatenerfassung)

Personalzeiterfassung, Rüst- und Fertigungszeiten, Rüst- und Fertigungsunterbrechungen, Unterbrechungsgründe, Materialverfolgung, Auftragsfortschritt, Qualitätsdaten und Ausschuß

Begleitinformationen

z.B. für Werkstücke: Auftragsnummer, Benennung, Teilenummer, Material, Teileanzahl, Herkunft und Zielort (Kostenstelle), Termin, Qualitätsvermerk

Betriebszustände

Auftragsdaten, z.B. Fertigmeldung oder Verzögerung, Betriebsdaten (BDE), Maschinendaten, Personaldaten

Bewegungsdaten

sind Daten, die sich ständig verändern, z.B. Auftragsdaten, Belegungszustand von Maschinen; → Stammdaten

CNC-Steuerungen

(Computerized Numerical Control) sind eine erweiterte Form der NC-Technik. Sie bieten neben den Grundfunktionen umfangreiche Programmierhilfen und hohen Bedienkomfort an der NC-Maschine vor Ort.

DNC-Steuerungen

(Direct Numerical Control) ermöglichen, daß NC-Programme anstatt auf Datenträgern direkt über Datenleitung an die NC-Maschine überspielt werden können. Der Vorteil des DNC-Betriebs ist die zeitgerechte Verteilung der NC-Programme an mehrere DNC-Maschinen. Sie wird deshalb als Voraussetzung zu flexiblen Fertigungszellen und -systemen angesehen.

Fertigung

schließt die beiden Bereiche Vorfertigung (=Teilefertigung) und Montage ein, also die beiden Abschnitte im Produktionsablauf, in denen die eigentliche Wertschöpfung am Material erfolgt.
Hiervon abweichend wird der Begriff Fertigung bei bestimmten Betrieben auch identisch mit "Vorfertiung", – d.h. ohne Montage – benutzt, (vergl. Produktion).

Fertigungs-Insel

Strukturform, bei der durch eine möglichst weitgehende Autarkie eine Komplettbearbeitung inkl. Prüfung und Nacharbeit für bestimmte Werkstücke (Teilefamilien) an mehreren Maschinen erreicht wird. Das Ziel ist es, die typischen Nachteile der Werkstattfertigung (lange Durchlaufzeiten, hohe Kapitalbindung, großer Flächenbedarf und schlechte Übersicht über den Fertigungsablauf) zu vermeiden. Zu einer Fertigungsinsel gehört auch die Einbeziehung des Bedienpersonals (Gruppe von ca. 6-9 MA) nach arbeitsplatzwissenschaftlichen Gesichtspunkten wie Motivation durch Arbeitsplatz-Attraktivität, Job-Enrichment und Job-Rotation. Der Grad der Automatisierung wird durch den Begriff nicht charakterisiert.

Fertigungs-System

autarke hochautomatisierte Fertigungseinheit, meist bestehend aus mehreren Zellen mit flexiblem automatischen Werkstück- und Werkzeugwechsel, flexible Auftragsreihenfolge durch eigenen Dispositionsrechner. Meist wird eine mehrstufige Bearbeitung durchgeführt.

Fertigungs-Zelle

autarke Fertigungseinheit, bestehend aus mindestens einer Maschine mit automatischem Werkstück- und Werkzeugwechsel, nur geringe Dispositionsmöglichkeiten.

Flexible automatische Transportsysteme

gewinnen in Bezug auf den automatisierten Materialfluß immer mehr an Bedeutung. Dabei gibt es unterschiedliche Ausführungsformen:

- Rollen-, Hängebahnen, EHB (= Elektro-Hänge-Bahn)
- schienengebundene Fahrzeuge
- induktiv gesteuerte Fahrzeuge, FTS (Fahrerlose Transport-Systeme)

Geometriedaten

Bemaßung, Toleranzen, Nullpunkt

Handhabungssysteme

für Werkstücke und Werkzeuge stellen die Verbindung zwischen Lager-, Transport- und den Bearbeitungssystemen her. Besitzen die Handhabungssysteme mehrere frei programmierbare Bewegungsachsen, so bezeichnet man diese als Industrieroboter.

MDE (Maschinendatenerfassung)

Laufzeiterfassung, Stillstandszeiterfassung, Programmstörung, Werkzeugschaden, Materialfehler, -mangel, Maschinenschaden, Personalausfall

NC-Steuerungen (Numerical Control)

sind die einfachste Form der elektrischen Steuerung für eine Bearbeitungsmaschine. Geometrische und technologische Steuerdaten werden über einen Lochstreifen eingegeben und in Form des Lochstreifens gespeichert. Eine NC-Steuerung ist nicht freiprogrammierbar. → CNC-Steuerung

Produktion

Der Produktionsbereich wird hier gleich gesetzt mit dem CAM-Bereich. Der zentrale Bereich der Produktion ist die Fertigung. Daneben gibt es die Bereiche Wareneingang, Lager, Prüffeld, Verpackung und Versand. Der Produktionsbereich ist somit der CIM-Bestandteil, in dem Material und Maschinen körperlich existent sind.

Prüfplandaten

Prüfvorgang, -mittel, -ort, -dauer, -umfang, -häufigkeit

Puffer

Materialspeicher zum Abfangen von Maschinenstörungen, unterschiedlichen Maschinentaktzeiten und verschiedenen Arbeitszeitmodellen (vergl. Kap. Lager)

RC-Steuerung

(Robot Control) sind wie CNC-Steuerungen numerische und programmierbare Steuerungen. Ihr Einsatzgebiet umfaßt jedoch nicht Bearbeitungsmaschinen sondern Handhabungsgeräte mit meist mehreren Bewegungsachsen, die synchron zu steuern bzw. zu regeln sind. → CNC-Steuerung

Spezifikationsdaten

(z.B. im Lastenheft): Fest-, Mindestanforderungen, Wünsche

Stammdaten

haben langfristige Gültigkeit, z.B. Betriebsmittel-Nr., Arbeitsplan-Nr. eines auftragsneutralen Arbeitsplans (APL)

Technologiedaten

Werkstoffart, Oberflächengüte, Schnittiefe, -geschwindigkeit, Vorschub, Werkzeugverfahrwege, Spindeldrehzahl

Werkzeugdaten

Werkzeugnummer, Geometrie-, Einstelldaten, Standzeiten, Schnittwerte, Ersatzwerkzeug (Schwesterwerkzeug)

Verfügbarkeitsmeldung bzw. Reservierung

für Betriebsmittel, Material, Personal, Arbeitsunterlagen wie Zeichnungen, Arbeitspläne und Programme u.a.

Zustandsdaten

(z.B. von Betriebsmitteln): Laufzeit, Belegungsdaten, Rüstzustand (Werkzeug, Spannmittel, Getriebestufe, Nummer des geladenen Programms), Störung

4   DV–Grundstruktur

Die Forderungen an eine wettbewerbsfähige Produktion, wie beispielsweise hohe Qualität, hohe Flexibilität und kostengünstige Produktion, führen zu einer immer intensiveren Computerunterstützung in allen Produktionsbereichen. Dabei variieren die Anforderungen je nach Unternehmen in ihrer Zusammenstellung und Gewichtung und haben in den Unternehmen zu verschiedensten DV–Landschaften geführt.

Durch eine Integration der heute nur lose oder gar nicht vernetzten Automatisierungsinseln läßt sich die Effizienz im Sinne der oben genannten Forderungen verbessern. Die Integrationsaufgabe beinhaltet nicht nur Hardwarekomponenten wie Rechner oder Steuerungen sondern genauso die eigentliche Anwendung aus produktionstechnischer Sicht sowie die Unternehmensorganisation.

Die Probleme der Integration bestehen zum einen in der Menge und Komplexität der verschiedensten – und vor allen Dingen **aller** – Funktionsbereiche im Unternehmen und in ihrer Individualität, die die Historie vieler Jahre wiederspiegelt. Diese Probleme können nur gelöst werden, wenn es gelingt, die verschiedensten Aufgabenbereiche aus funktionaler Sicht in autarke Einheiten aufzuteilen und ihr Zusammenwirken in einer Gesamtstruktur darzustellen.

Im Kapitel 3.9 wurden u.a. die Vor– und Nachteile verschiedener Fertigungsstrukturen (z.B. Fließ– oder Flexible Fertigung) behandelt. Diese Strukturen sind in geeignete DV–Strukturen (CAM–Bereich) übertragen, um die Vorteile eindeutiger organisatorischer Zugehörigkeit und Verantwortung mit den Vorteilen einer weitgehenden produktionstechnischen Entkopplung zu verbinden.

Dieses Kapitel stellt die grundsätzlichen Funktionen und Möglichkeiten der DV–Komponenten zur

- Datenverarbeitung
- Datenhaltung und
- Datenkommunikation

dar. Diese Komponenten werden hierarchischen Ebenen zugeordnet und abschließend zu einem DV–Struktur–Modell zusammengefaßt, welches die typischen Strukturen aktueller CIM–Projekte zusammenfaßt. Daß dieses Modell nicht als Norm aufzufassen ist, soll durch weitere Modell–Beispiele veranschaulicht werden. Für den unternehmensspezifischen CIM–Generalbebauungsplan ist ein ähnliches Modell zu entwerfen, um die schrittweise Integration zu ermöglichen.

Im technischen Anhang werden die Teilthemen Datenbanken, Datenübertragungs– und Netzzugriffsverfahren vorgestellt. Sie wurden in den Anhang genommen, da sie für die Strukturierung eines CIM–DV–Modells von untergeordneter Bedeutung sind.

4.1 Dezentralisierung und Hierarchisierung der Funktionalität

Mit den Innovationen der Halbleitertechnologie, die zu einer stetigen Leistungs-
verbesserung von Prozessoren, Speichern, Peripheriegeräten etc. bei gleichzeitig sinkenden Preisen führten, ergaben sich immer neue Möglichkeiten für den
DV-Einsatz in Produktionsunternehmen.
Begonnen wurde mit dem DV-Einsatz im kaufmännischen Bürobereich, wo
zunächst zentrale Batchsysteme für die Bearbeitung großer Datenmengen instal-
liert wurden. Mit steigender Forderung nach online-Verarbeitung wurden ver-
stärkt große, zentralisierte Kombinationssysteme für Batch- und Dialogbetrieb
eingesetzt (s. Bild 4.1-1).
Im Produktionsbereich war die DV-Landschaft zuerst durch realtime-fähige Uni-
versalsysteme geprägt, die die Anforderungen von Prozeßsignalverarbeitung,
technisch-wissenschaftlicher Anwendung bis hin zur Dialog- und Batchverarbei-
tung gleichzeitig erfüllen mußten. Diese teuren Systeme waren jedoch nur
durch aufwendige Sicherheitssysteme (hotstandby-Rechner) für die hohen Ver-
fügbarkeitsanforderungen im prozeßnahen Bereich geeignet.
Mit der weiteren Entwicklung der Mikroprozessoren waren dedizierte Systeme
wie NC-, RC- oder speicherprogrammierbare Steuerungen zu einem wirtschaftlichen Preis realisierbar geworden. Hierbei konnten die für den Einsatzbereich
optimalen Funktionsmerkmale mit der für den jeweiligen Produktionsbereich so
wichtigen Forderung nach Autarkie und Produktionssicherheit verbunden werden.
Der dann später bedeutenderen Forderung nach Datendurchgängigkeit (CIM)
standen jedoch die nicht normierten Kommunikationsmöglichkeiten der einzelnen
Systeme im Wege. Bei der rechnerintegrierten Produktion müssen deshalb sowohl Universal – als auch dedizierte Systeme berücksichtigt werden.

Im Detail stehen hinter der Forderung nach Dezentralisierung folgende Notwendigkeiten:

- Anpassung an Organisationsstrukturen
- Zuordnung zu Verantwortungsbereichen
- Erweiter- und Änderbarkeit ohne Beeinflussung anderer Funktionen
- Optimierungsmöglichkeiten für Wartung und Handling
- Ausfallsicherheit durch möglichst lose Kopplung der Funktionen
- effiziente Notstrategiefunktionen
- gezielter Einsatz bestimmter Leistungs- und Funktionalitätsmerkmale (Reak-
  tionszeiten, Durchsatz, Bedienkomfort, Diagnosekomfort, Datenspeicher-
  fähigkeit, ...)
- transparente Strukturierbarkeit.

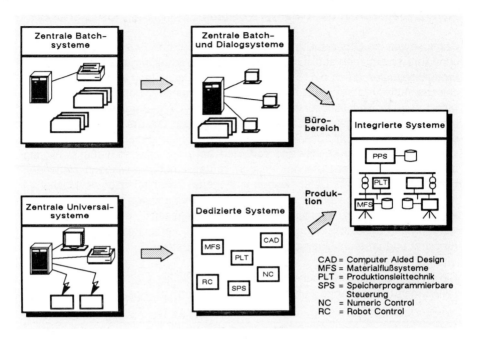

Bild 4.1-1: Wandel der DV-Strukturen in Produktionsunternehmen

Die Dezentralisierung der Funktionalität erfolgt sowohl vertikal als auch horizontal in den produktionstechnischen und organisatorischen Strukturen des Betriebes. Hierzu einige Beispiele:

- Transportsteuerungsfunktionen in speicherprogrammierbaren Steuerungen für Teilbereiche eines Transportsystems
- NC-Steuerungen in Bearbeitungsmaschinen
- CAD-Rechner zur Produktkonstruktion
- Materialflußsteuerungsfunktionen in Zellenrechnersystemen
- Simulationsfunktionen in einem Mini-Rechnersystem für die Reihenfolgeplanung in einem vollautomatisierten Fertigungsbereich
- Stördatenerfassung in einem Instandhaltungssystem.

Im Hinblick auf die angestrebte Integration resultieren jedoch erhebliche Probleme aus der Dezentralisierung.
Mit der Dezentralisierung der Funktionalität erfolgt auch meist die Dezentralisierung der Datenbestände, da die Daten dort gehalten werden müssen, wo sie für den reibungslosen Ablauf der Produktion benötigt werden. Diese Verteilung der Datenbestände erfordert durchgängige und möglichst ausfallsichere Kommunikationsmechanismen zwischen den einzelnen Funktionsbereichen.

Hierarchieebenen in der Datenverarbeitung

Genauso wie die Organisation des Unternehmens durch Bereiche (Abteilungen) und Hierarchieebenen strukturiert ist, kann die Verarbeitung und Verwaltung von Produktionsdaten durch ein hierarchisches Modell gegliedert werden. Die hierarchische Aufteilung bezieht sich dabei auf Datenmengen, Responsezeiten, Satzaufbau u.a.. In Produktionsunternehmen ist für den CAM–Bereich ein abgestuftes hierarchisches Mengengerüst typisch (s. Bild 4.1–2). Die Ursache hierfür liegt in der Aufteilung der Funktionen auf verschiedene Unternehmensebenen. Die Entscheidungen werden schrittweise verfeinert bei gleichzeitiger Berücksichtigung des aktuellen Anlagenzustandes. In den strategischen, vorwiegend planenden Ebenen, werden große Datenmengen in längeren Zeitabschnitten verarbeitet. In den unteren Ebenen werden die verfeinerten Planungsdaten zur Steuerung von Anlagen (Maschinen, Transportsysteme, ...) umgesetzt. In der Prozeßebene werden hohe Echtzeitforderungen gestellt, um z.B. Fertigungsprozesse verzögerungsfrei und im technologischen Sinn optimal zu steuern.

Die im Bild dargestellte Ebenenaufteilung ist als Richtlinie anzusehen. Im Einzelfall können umfangreiche Funktionen eine Splittung von Ebenen erfordern.

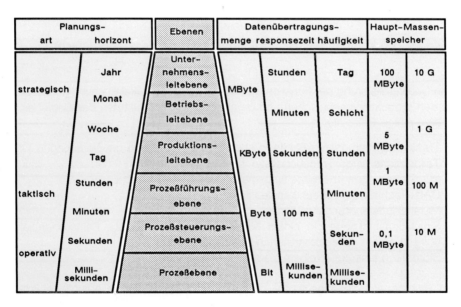

Planungs- art	horizont	Ebenen	Datenübertragungs- menge	responsezeit	häufigkeit	Haupt-Massen- speicher	
strategisch	Jahr	Unter-nehmens-leitebene	MByte	Stunden	Tag	100 MByte	10 G
	Monat	Betriebs-leitebene		Minuten	Schicht		
	Woche					5 MByte	1 G
	Tag	Produktions-leitebene	KByte	Sekunden	Stunden		
taktisch	Stunden	Prozeßführungs-ebene			Minuten	1 MByte	100 M
	Minuten		Byte	100 ms			
	Sekunden	Prozeßsteuerungs-ebene			Sekunden	0,1 MByte	10 M
operativ	Milli-sekunden	Prozeßebene	Bit	Millise-kunden	Millise-kunden		

Bild 4.1–2: Hierarchieebenen in der Datenverarbeitung

Von der Unternehmensleitebene herunter bis in die Prozeßebene steigen die Anforderungen an die System–Verfügbarkeit. In den oberen Ebenen ist ein Systemausfall im Bereich von Stunden noch tolerabel, in der Prozeßebene führen Ausfälle für Minuten oder Sekunden bereits zu Maschinenstillständen, Fehlfunktionen oder sogar Schäden, die bei verketteten Fertigungssystemen den Stillstand weiterer Anlagenteile verursachen können.

In einem Produktionsunternehmen mit hierarchischen Ebenen können die Kommunikationsbeziehungen in solche innerhalb einer Ebene (horizontal) und solche zwischen zwei Ebenen (vertikale Kommunikation) aufgeteilt werden. Ein Beispiel für die horizontale Kommunikation ist die Weitergabe des Materialbedarfs aus dem PPS-System zum Einkauf. Vertikale Kommunikation ist beispielsweise die Übertragung von Fertigungsaufträgen vom PPS-Bereich herunter in die Betriebsebene.

Die Aufgabe bei der Strukturierung des DV-Systems lautet, technisch und organisatorisch sinnvolle Ebenen zu bilden und diese mit den DV-Ebenen in Einklang zu bringen. Die hierarchische Aufteilung der DV-Struktur führt zu einem transparenten System, das schrittweise aufgebaut oder in abgegrenzten Bereichen ohne Störung des Gesamtsystems verändert werden kann.

4.2 Zentrale und dezentrale Datenhaltung

Die zunehmende Dezentralisierung der Funktionalität wird von dem Trend begleitet, auch die Datenhaltung zu dezentralisieren. Begründen läßt sich dieser Trend mit den gleichen Argumenten, also den Forderungen nach Autarkie, Dedizierung und Produktions- bzw. Ausfallsicherheit.

Auch hier liegt die Problematik einmal im Datenaustausch von Systemen mit unterschiedlichem Datenaufbau. Hinzu kommt, daß bei dezentraler (lokaler) Datenhaltung Datenredundanz entsteht, die zu inkonsistentem Datenbestand führen kann.

Redundanz tritt dann auf, wenn mehrere Systeme das gleiche Datum lokal abspeichern, um es in direktem Zugriff zu haben. Das Problem dabei ist nicht die Mehrfachspeicherung, sondern die Aktualisierung des Datums an mehreren physikalisch dezentralen Stellen (Bild 4.2-1, Fall c). Unterbleibt die gleichzeitige Aktualisierung, entsteht **Dateninkonsistenz** mit der Folge, daß die verschiedenen dezentralen Systeme auf unterschiedlichen Ausgabeständen aufsetzen.

Zur Übersicht werden hier die grundsätzlichen Möglichkeiten der Datenhaltung erläutert.

Die **zentrale Datenhaltung** vereinfacht die Datenpflege, da sie nur an einer Stelle durchgeführt zu werden braucht. Auf Datenanforderungen verschiedener Bereiche wird dann mit demselben Ausgabestand (Aktualität) geantwortet. Der abfragende Bereich fordert alle Daten bei der Zentrale an, er benötigt also nur eine Adresse. Das Abfragen und Lesen verschiedener Bereiche kann jedoch nur nacheinander erfolgen, somit gewährleistet diese Struktur keine realtimegerechten Responsezeiten.

Dieses Problem wird durch die **temporär zentrale (lokale) Datenhaltung** in getrennten Systemen gelöst. In den lokalen Systemen werden kurzzeitig vor dem Bearbeitungszeitpunkt die benötigten Daten eingelagert, um dann zum Bedarfszeitpunkt direkt verfügbar zu sein. Die Daten werden deshalb nur temporär und nicht langfristig dezentral gehalten, um Redundanz zu vermeiden.

Bei der **dezentralen Datenhaltung** werden die Daten dort gespeichert, wo sie funktional benötigt werden. Externe Daten müssen von den jeweiligen Stellen angefordert werden. Dabei ergibt sich das gleiche Problem wie im ersten Fall, gleichzeitiger Zugriff ist nicht möglich. Daten, die an mehreren Stellen oft und schnell benötigt werden, sollten also an mehreren Stellen gehalten werden. Falls diese redundanten Daten nicht gleichzeitig aktualisiert werden, entsteht Inkonsistenz.

Den hohen Anforderungen vieler Aufgaben, insbesondere der dezentalisierten Funktionalität im CAM-Bereich, wird die zentrale Datenhaltung nicht gerecht. In vielen Fällen sind dezentrale Daten erforderlich, die durch ein Managementsystem verwaltet werden müssen.

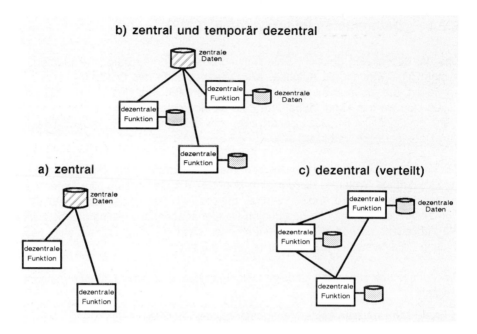

b) zentral und temporär dezentral

a) zentral

c) dezentral (verteilt)

Bild 4.2-1:   Möglichkeiten der Datenhaltung (physikalisch)

Ob Daten zentral oder dezentral gehalten werden, hängt nicht nur von den Entkopplungsanforderungen für die hohe Produktionssicherheit ab, sondern auch von der Anzahl der Benutzer, von der Häufigkeit lesender und schreibender Zugriffe sowie den zu transferierenden Datenmengen.

Dementsprechend werden in den planenden Funktionsbereichen vorwiegend zentrale Datenhaltungssysteme eingesetzt. Einkauf, Vertrieb und PPS verwenden gleiche Stammdaten (z.B. Artikelnummer, Fertigungsauftragsnummer). Dagegen werden in den prozeßnahen Ebenen dezentrale Datenhaltungssysteme mit dem Ziel hoher Produktionssicherheit und sehr kurzer Responsezeiten eingesetzt.

4.2.1   Datenmanagementsysteme (DMS)

Das der dezentralen (lokalen) Datenhaltung übergeordnete Datenmanagementsystem (G-DMS) hat die Aufgabe, alle Datenbestände des Gesamtsystems zu
verwalten, d.h. es muß wissen, wo welche Daten abgelegt sind und wie auf sie
zugegriffen werden kann. Außerdem muß es sicherstellen, daß die Datenkonsistenz gewährleistet ist. Dazu gehört z.B., daß das gleichzeitige Ändern derselben Datenbereiche verhindert wird.

Als **verteilte Datenhaltung** bezeichnet man die Verteilung der Daten auf meh-
rere dezentrale Systeme, bei der dem Benutzer die Gesamtheit aller Daten als
Einheit präsentiert wird (logisch zentral, physikalisch dezentrale Datenhaltung).
Für die Auslegung des übergeordneten Datenmanagementsystems gibt es zwei
Möglichkeiten, entweder es ist zentral oder dezentral angeordnet, also den
lokalen Datensystemen zugeordnet (s. Bild 4.2.1-1).

Als Vorteile des **zentralen** globalen Datenmanagementsystems können genannt
werden:

o lokale DMS müssen keine Managementdaten verwalten
o Änderungen der Managementdaten sind nur an einer Stelle notwendig.

Vorteile des **dezentral** angeordneten globalen Managementsystems sind:

o keine Abhängigkeit von der Zuverlässigkeit eines zentralen g-DMS
o weniger Transaktionen bei der Datenanforderung.

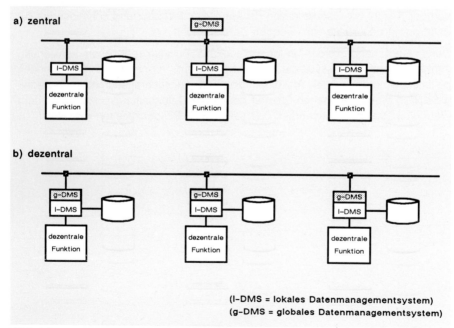

Bild 4.2.1-1:   Globales Datenmanagementsystem

Als **Gemeinsamkeit** läßt sich festhalten, daß beide Managementsysteme sehr aufwendig sind. Bei Ausfall einer lokalen Datenbank sind nur deren Daten nicht mehr verfügbar, während auf die anderen weiterhin zugegriffen werden kann. Daraus folgt, daß hohe Zuverlässigkeitsanforderungen bei kurzen Zugriffszeiten zum Einsatz dezentraler Daten-Managementsysteme führen, häufige Änderungen von Daten begünstigen ein zentrales Daten-Managementsystem.

4.2.2 Datenhaltungssysteme

Unabhängig von der Frage, ob Daten zentral oder dezentral gehalten werden sollen, muß analysiert werden, welche Forderungen bezüglich der Datenhandlings–Kriterien Antwortzeit und Abfrage– bzw. Änderungskomfort u.a. zu stellen sind. Um unterschiedlichen Leistungsanforderungen gerecht zu werden, können verschiedene Datenhaltungssysteme ausgewählt werden. Die wichtigsten drei werden hier charakterisiert.

1. **Prozeß–Daten–Systeme** (PDS) erlauben schnelle, direkte Datenzugriffe. Die Organisation der Daten ist Aufgabe des Benutzers.

2. **File–Managementsysteme** (FMS) unterstützen den Anwender bei der Verwaltung umfangreicher Datenmengen. Merkmale sind:

   - mittlerer Zugriffskomfort
   - zentrale und redundanzfreie Zusammenfassung von umfangreichen Datenbeständen
   - Zugriff mehrerer Anwender möglich
   - Anwenderprogramm–Entkopplung
   - Unterstützung des Peripheriespeichereinsatzes
   - Datensicherung.

3. **Datenbanken** (DBMS) werden zur komfortablen Verwaltung großer Datenmengen meist mehrerer Benutzer eingesetzt. Durch eine einheitliche Schnittstelle zum Anwender wird erreicht, daß die Daten unabhängig von den spezifischen Anwenderprogrammen abgelegt sind. Um die Anwenderschnittstelle komfortabel und einheitlich auszulegen, werden strukturierte und zunehmend genormte Abfragesprachen (z.B. SQL = Structured Query Language) eingesetzt. Die Strukturen von Datenbanksystemen werden im technischen Anhang Kap. 4.5.1 beschrieben.

Antwortzeitverhalten (Responsezeiten)

Wieviel Zeit von der Datenanforderung bis zur Datenübergabe vergeht, hängt entscheidend von dem Zugriffskomfort ab, denn bei mehr Komfort sind zusätzliche zeitaufwendige Verarbeitungsfunktionen notwendig. Diese können in Form von Schichten dargestellt werden (s. Bild 4.2.2–1). Anwendungsorientierte Abfrageschnittstellen (AQF) oder strukturierte und evtl. genormte Abfragemöglichkeiten (SQL) sind Bestandteile von Datenbanksystemen. Kürzere Zugriffszeiten werden von Filemanagementsystemen erreicht, die das Suchen z.B. nach einem oder mehreren Schlüsseln erlauben.

Somit eignen sich die Datenhaltungssysteme jeweils für bestimmte Einsatzgebiete und können nicht einheitlich über alle Hierarchieebenen eingesetzt werden.

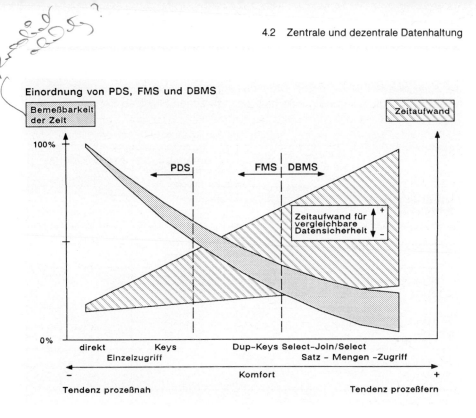

Bild 4.2.2-1: Einordnung von PDS, FMS und DBMS

Die leistungsfähigen, komfortablen **Datenbanken** sind für die strategischen Aufgaben der Untenehmensleitebene und der Betriebsleitsebene erforderlich (s. Bild 4.2.2-2). In der Produktionsleitebene können sowohl Datenbanken als auch die reaktionsschnellen **Filemanagementsysteme** eingesetzt werden. Filemanagementsysteme werden außerdem in der Prozeßführungsebene verwendet.
In der Prozeßsteuerungsebene reicht der geringe Komfort – allerdings bei Echtzeit-Geschwindigkeit – von Prozeß-Daten-Systemen aus.

Um eine möglichst hohe Produktionssicherheit zu erreichen, müssen Rechner und Steuerungen in den unteren maschinennahen Ebenen auch dann funktionsfähig bleiben, wenn benachbarte und übergeordnete Systeme ausfallen. Es wird ein stand-alone-Betrieb für die Zeitspanne gefordert, in der typische Fehler von Rechnern, Datenhaltungssystemen oder Kommunikationsnetzen behoben werden können. Um diese Ausfallzeit zu überbrücken, werden absolut notwendige Daten lokal gehalten. Ein Ausfall des lokalen Datenspeichers selbst kann durch redundante Datenhaltungskonzepte abgesichert werden.

Mobile Datenhaltung

Die Fortschritte in der Miniaturisierung von Datenspeichern und der kontaktlosen Datenübertragung ermöglichen zunehmend die mobile Haltung von Daten, bei der z.B. werkstückspezifische Daten mit dem Werkstück von Station zu Station weitergegeben werden.
Somit kann ein Großteil der Kommunikationen zwischen den Rechnersystemen

der Stationen entfallen. Mobile Datenhaltung eignet sich ebenfalls sehr gut zur flexiblen Transportsteuerung innerhalb oder zwischen Flexiblen Fertigungszellen.

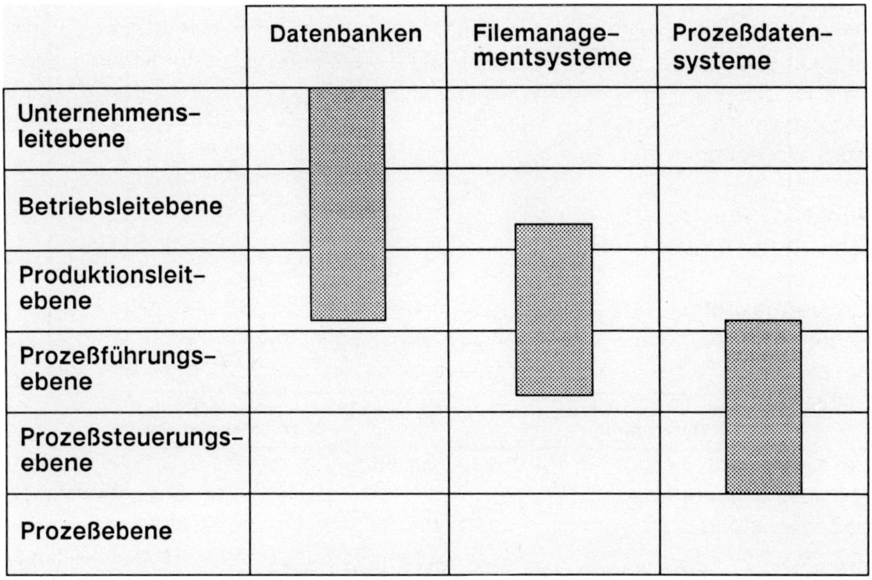

	Datenbanken	Filemanage-mentsysteme	Prozeßdaten-systeme
Unternehmens-leitebene			
Betriebsleitebene			
Produktionsleit-ebene			
Prozeßführungs-ebene			
Prozeßsteuerungs-ebene			
Prozeßebene			

Bild 4.2.2–2: Datenhaltungssysteme in den Automatisierungsebenen

4.3   Datenkommunikation

4.3.1   Netztopologie-Formen

Um dezentrale Funktionalitäten auf dezentralen Rechnern miteinander zu ver-
knüpfen sind Kommunikationen über ein integrierendes Netz erforderlich. Dieses
Netz ist dabei in seiner Struktur und Leistungsfähigkeit der jeweiligen Aufgabe
anzupassen. In der Praxis werden dazu die folgenden Strukturformen (Topologien) eingesetzt.

Punkt-zu-Punkt-Verbindungen sind die einfachste Möglichkeit der Vernetzung zweier Rechner.

Ein **vermaschtes Netz** entsteht, wenn aus einer Gruppe von mehr als zwei
Rechnern jeweils zwei Systeme auf direktem Weg kommunizieren sollen. Daraus
ergibt sich ein hoher Verkabelungsaufwand und progressiv zunehmende Erweite-
rungskosten (s. Bild 4.3.1-1).

Bei einem **Ring** besitzt jeder Kommunikationspartner genau zwei Schnittstellen,
über die er zu weiteren Teilnehmern verbunden ist. Der Nachteil des Ringes ist,
daß die Informationen meist über mehrere Stationen weitergegeben werden
müssen. Somit belastet jede Kommunikation den Ring und die Kommunikations-
anschaltungen der beteiligten Stationen. Ein Ausfall einer beliebigen Anschaltung
kann das gesamte System stören.

Die **Sternstruktur** ist eine hierarchisch organisierte Struktur, d.h. einer Zentrale
sind in der nächsten Ebene ein oder mehrere Systeme 2. Ordnung untergeordnet, die dann Zentralen für weitere Subsysteme 3. Ordnung sein können.
Die Zentralstation muß somit für jedes anzuschließende System eine Schnittstelle besitzen. Die horizontale Kommunikation zwischen zwei Systemen muß
über die Zentrale abgewickelt werden, die dadurch zusätzlich belastet wird und
in dieser Beziehung einen Engpaß darstellt.
Die Sternstruktur ist heute die verbreiteste Kopplungsart in einem hierarchischen
Prozeß, da der Verkabelungsaufwand erheblich geringer ist als beim ver-
maschten Netz.

Die **Busstruktur** ist unabhängig von der hierarchischen Anordnung der Stationen. An einem gemeinsamen Buskabel sind über Abzweigungen die einzelnen
Stationen angeschlossen. Damit ist physikalisch die Möglichkeit gegeben, daß
jede Station mit jeder kommunizieren kann. Der Verkabelungsaufwand ist gering
und der Aufwand für Erweiterung ist linear.
Da alle Kommunikationen der angeschlossenen Stationen über denselben Bus
ablaufen, begrenzt der Bus die Anzahl der maximal möglichen Kommunikationen. Welche Station gerade auf den Bus zugreifen darf, wird durch Zugriffsverfahren geregelt (s. Kap. 4.5.3).

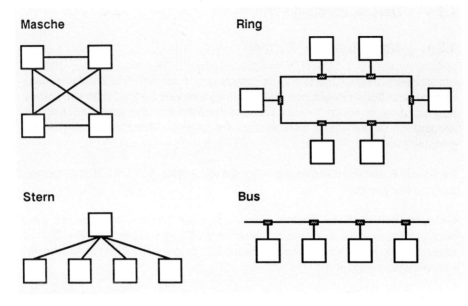

Masche   **Ring**

Stern   **Bus**

Bild 4.3.1-1:   Netzstrukturen (Topologien)

Große Netzwerke können aus einzelnen Netzen mit unterschiedlicher Topologie aufgebaut werden. Durch die Aufteilung in einzelne Netzteile lassen sich diese dann einfacher überwachen, notfalls autark betreiben und erweitern.

Unabhängig von der Netzstruktur stehen zur Kommunikation verschiedene **Übertragungsmedien** mit abgestufter Leistungsfähigkeit zur Verfügung:

- Das verdrillte Leitungspaar (meist abgeschirmt) ist gekennzeichnet durch niedrige Kosten und geeignet für Datenraten bis 1 Mbit/s bei Entfernungen bis zu einem Kilometer.

- Koaxialkabel ermöglichen hohe Datenraten, typisch sind 10 Mbit/s. Sie besitzen eine verstärkerfreie Länge bis zu einigen Kilometern und werden in Basis- und Breitbandsystemen eingesetzt.

- Lichtwellenleiter werden vorteilhaft für Systeme mit höchsten Datenraten, ca. 100 Mbit/s, verwendet. Die Übertragung erfolgt auf End-End-Verbindungen mit elektrischen Signalauffrischungen bei jedem Teilnehmer; Entfernungen bis zu einigen Kilometern zwischen den Teilnehmern und Ringlängen von 100 km sind möglich. Lichtwellenleiter bieten sich von der hohen Übertragungsleistung her für Breitbandübertragung an.

4.3.2 Netze und Protokolle

Das **Protokoll** beschreibt, nach welchem Steuerungsverfahren die Datenübertragung zu erfolgen hat. Es legt Code, Übertragungsart, –richtung, –format, Verbindungsauf– und –abbau fest. Grundlage der meist herstellerspezifischen Protokolle ist das OSI–Modell (Open Systems Interconnection) der ISO (International Standard Organisation). Das OSI–Modell beschreibt in sieben hierarchischen Ebenen, wie die Funktionen zum Aufbau einer Kommunikation aufgeteilt werden (s.Bild 4.3.2–1:).

Die verschiedenen Normen im CIM–Bereich wurden bereits in Kapitel 1.3 vorgestellt.

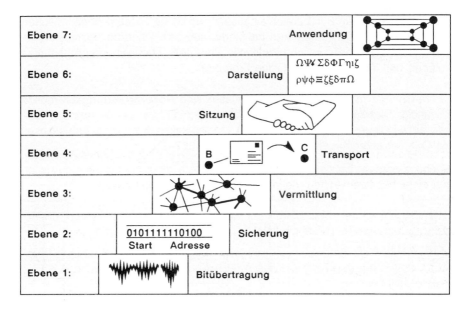

Ebene 7:	Anwendung	
Ebene 6:	Darstellung	$\Omega\Psi X\, \Sigma\delta\Phi\Gamma\eta\iota\zeta$ $\rho\psi\phi\equiv\zeta\xi\delta\pi\Omega$
Ebene 5:	Sitzung	
Ebene 4:	B	Transport
Ebene 3:		Vermittlung
Ebene 2:	0101111110100 Start Adresse	Sicherung
Ebene 1:		Bitübertragung

Bild 4.3.2–1: OSI–7 Schichten Modell

Lokale Netze (LAN = Local Area Network) dienen zur Kommunikation zwischen gleichartigen und unterschiedlichen Systemen wie z.B. Rechner, Terminals oder Systeme zum Bedienen und Beobachten. Die Übertragung der Daten erfolgt bitseriell. Die wichtigsten Vorteile der LAN's sind:

- geringer Verkabelungsaufwand
- beliebiger, gleichberechtigter Verkehr zwischen angeschlossenen Geräten
- geringer Erweiterungsaufwand.

Lokale Netze charakterisiert die räumliche Ausdehnung, nicht die Topologie des Netzes.

Für die in vielen Fällen vorteilhaften Busse stehen heute in der Leistungsfähigkeit abgestufte Systeme zur Verfügung:

☐ **Low-Cost-Busse** (Feld- oder Zellenbusse) sind für geringere Datenraten geeignet. Sie ersetzen die bisher übliche sternförmige Vernetzung zwischen Steuerungen einer Anlage. Hierfür sind preiswerte Zweidrahtleitungen ausreichend, z.B. SINEC L1.

☐ **SINEC H1** ist ein High-Performance-Bussystem (typ. Datenrate 10 Mbit/s), das aus mehreren Segmenten bestehen kann, die über Repeater verbunden werden können. Als Protokollstandard wird SINEC-AP (Siemens Automation Protocol) eingesetzt.

☐ **Backbone-Busse** übertragen hohe Datenraten (typ. 10 Mbit/s) und werden zur Kommunikation im Bürobereich eingesetzt, wo große Datenmengen zwischen vielen verschiedenen Teilnehmern transferiert werden. Übertragungsmedium ist meistens Koaxialkabel, typische Protokolle sind MAP (Manufacturing Automation Protocol) und TOP (Technical Office Protocol).

Zur Verbindung mehrerer Netze (z.B. Busse) sind **Netzverbindungselemente** notwendig. Diese werden mit zunehmendem Unterschied der benutzten Protokolle aufwendiger. Die gebräuchlichsten Möglichkeiten werden in Anhängigkeit des OSI-Schichtenmodells dargestellt (s. Bild 4.3.2-2).

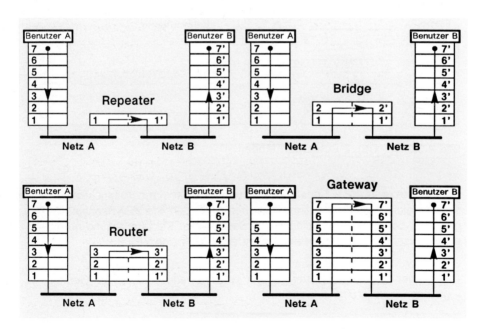

Bild 4.3.2-2: Netzverbindungselemente

Repeater stellen die einfachste Möglichkeit dar, zwei Netze miteinander zu verbinden. Es handelt sich dabei um eine physikalische Verbindung auf der Ebene eins (Bitübertragung).
Die **Bridge** ermöglicht die Kopplung von Bussen mit unterschiedlicher Physik und unterschiedlichen Zugriffsverfahren (s. technischer Anhang).
Protokolle mit Unterschieden bis zur Ebene 3 kann der **Router** umsetzen.

Antwortzeit

Die Kommunikation zwischen lokalen Rechnern oder Datenhaltungen erfolgt immer mit einer gewissen Zeitverzögerung, denn die Kommunikation (auch Datentransaktion genannt) muß immer mehrere Phasen (z.B. Verbindung aufbauen, Daten transferieren und Verbindung abbauen) durchlaufen.
Um die Vollständigkeit und Richtigkeit von Transaktionen sicherzustellen (Datenkonsistenz), werden Transaktionssicherungssysteme eingesetzt. Falls die Transaktion an beliebiger Stelle gestört wird, muß das Sicherungssystem die Transaktion rückgängig machen (Roll–Back) und von neuem starten. Der Benutzer braucht sich darum nicht zu kümmern.
Die Kontrollfunktionen einer Transaktionssicherung verlängern die Kommunikationszeit im Vergleich zur Zeit ohne Sicherung. Weiterhin hängt die Kommunikationszeit davon ab, welche Anzahl von Kommunikationen über dasselbe Übertragungskabel transportiert werden sollen, also von der Auslastung des Netzes. Ein einziger Kommunikationsauftrag kann ohne Verzögerung übertragen werden, bei mehreren Aufträgen nimmt die Zeitverzögerung überproportional zu, bis schließlich das Übertragungssystem ausgelastet oder überlastet ist (s. Bild 4.3.2-3). Die Arten der Zugriffsverfahren und Übertragungsprotokolle werden im technischen Anhang erläutert.

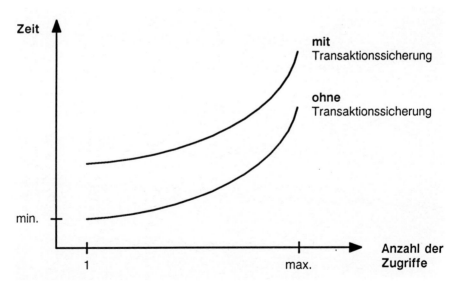

Bild 4.3.2-3: Verzögerungszeit in Abhängigkeit der Netzzugriffe

Hierarchische Kommunikation

Für jede Unternehmensebene werden an das Kommunikationssystem typische Leistungsanforderungen wie z.B. Responsezeit oder zu übertragende Datenmenge gestellt (s. Bild 4.1-2). Weil mit der Leistungsfähigkeit auch die Kosten wachsen, muß für jede Ebene ein von der Leistungsfähigkeit angepaßtes Kommunikationssystem ausgewählt werden.

Busse als Kommunikationssysteme sind dann geeignet, wenn zwischen den angeschlossenen Rechnern viele Kommunikationsbeziehungen realisiert werden sollen. Sie halten den Verkabelungsaufwand gering; das gilt für die erstmalige Installation und besonders für eine Veränderung der Kommunikationsbeziehungen einschließlich der vorher meist nicht planbaren Erweiterungen des Netzes. Busse als zentrales Kommunikationsmedium bieten außerdem die Möglichkeit der zentralen und somit einfachen Diagnose z.B. zum Auffinden von Störungen. Die zentrale Stellung setzt jedoch eine hohe Busverfügbarkeit voraus. Mechanische Beschädigungen müssen durch entsprechenden Schutz vermieden werden, Ausfälle der Bus-Elektronik (z.B. Anschaltungen) sind bereits durch entsprechende Entwicklung zu vermeiden. Die Verfügbarkeit ist generell bei wenig komplexen Systemen am höchsten. Für die hohen Zuverlässigkeitsanforderungen bei geringen Datenmengen sind Zweidraht-Leitungen mit Basisbandübertragung geeignet.

4.4 DV-Struktur-Modell

In diesem Abschnitt wird anhand von Beispielen erläutert, wie die bisher separat vorgestellten DV-Komponenten zu einer strukturierten CIM-Architektur zusammengefaßt werden können.

Ausgangspunkt bei der Konstruktion dieser Architektur ist der Material- und Informationsfluß. Denn aus der Anwendung – d.h. dem Produktionsbereich – müssen die Anforderungen an die Struktur und Leistungsfähigkeit des DV-Systems kommen. Folglich wird das DV-Modell hier nicht aus Sicht der Hardware-Komponenten, sondern aus der Anwendungs-Perspektive in Form von logisch getrennten Funktionsbereichen betrachtet. Anderenfalls wäre das Modell nur für einen bestimmten Einzelfall gültig.
Die Auswahl der Hardware-Komponenten kann erst anhand spezifischer Leistungsanforderungen und unter Einbeziehung der bereits installierten DV-Welt erfolgen. Ein geringer Funktionsumfang – z.B. im Wareneingang – kann dazu führen, daß die Funktionen des Wareneingangs zusammen mit denen des Lagers auf einen Rechner gelegt werden.

Welche Funktionsbereiche in das DV-Konzept einzubeziehen sind, ist im Einzelfall zu entscheiden. Ein Beispiel für ein einfaches Modell zeigt das Bild 4.4–1. Hier wurden die Bereiche Verwaltung, Vertrieb, Wareneingang, Transport und Versand nicht in das DV-Konzept aufgenommen. Für das in diesem Fall relativ geringe Kommunikationsaufkommen reicht ein zentraler Bus, der in mehreren Ebenen verläuft aus.

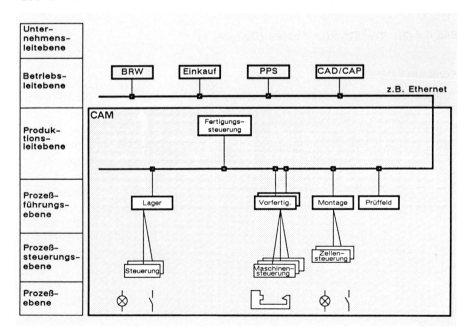

Bild 4.4–1:   DV-Struktur-Modell (Beispiel 1)

Die weiteren Beispiele zeigen detailliertere Strukturen. Im Beispiel 4 wird ein hoher Ausbaugrad für die CAM-Bereiche Lager, Vorfertigung und Montage vorgestellt. Deshalb wurden hier mehrere Teilsysteme vorgesehen, die durch ein übergeordnetes Leitsystem koordiniert werden. In diesem Fall ist die Produktionsleitebene zweigeteilt.

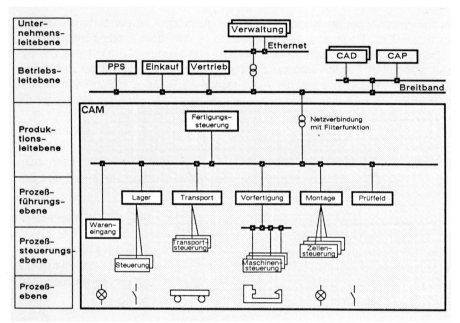

Bild 4.4-2:   DV-Struktur-Modell (Beispiel 2)

Kommunikation

Rückgrat der Kommunikation werden zunehmend Bussysteme sein, da diese am flexibelsten zu handhaben sind. Grundsätzlich können anstelle von Bussen auch sternförmige Vernetzungen gewählt werden (Bild 4.4-2 Montage bzw. Vorfertigung). Dies hängt wesentlich von der Anzahl der Kommunikationspartner, vom Kommunikations-Mengengerüst und vom Aufwand der Busanschaltungen ab.

Durch die Zuordnung der Netze zu den hierarchischen Unternehmensebenen kann die Leistungsfähigkeit ensprechend der für die jeweilige Ebene typischen Anforderungen angepaßt werden. Innerhalb einer Ebene können mehrere lokale Bussysteme (LAN's) vorhanden sein. Dies ist bei komplexen und organisatorisch abgegrenzten Bereichen wie Vorfertigung und Montage oder auch im Verwaltungsbereich üblich (Beispiele 2, 3 und 4).

Busse unterschiedlicher Hierarchie-Ebenen kommunizieren miteinander über Netzverbindungselemente wie z.B. Bridges oder Gateways, je nachdem, ob es sich um denselben Bustyp mit gleichem Übertragungsverfahren und Protokoll (homogene Systeme) oder um heterogene Bussysteme handelt. Mit Hilfe dieser

Netzverbindungselemente können außerdem bestimmte Daten des einen Busses vom anderen ferngehalten werden. Somit werden die Busse nur mit den jeweils wichtigen Kommunikationen belastet. Durch die Aufteilung in mehrere Abschnitte kann das System besser überwacht und stabil gehalten werden. Diese Einheiten lassen sich einfacher an später oft wachsende Kommunikationsmengen anpassen.

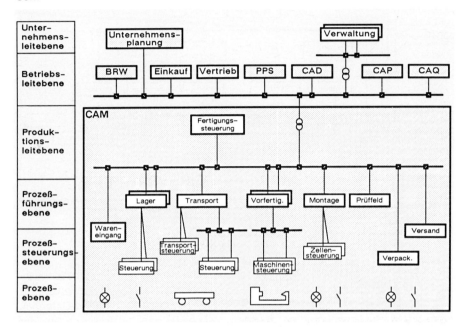

Bild 4.4-3: DV-Struktur-Modell (Beispiel 3)

Datenhaltung

Die Daten werden weitgehen dezentral gehalten, so daß jeder Funktionsbereich für die Pflege seiner Daten verantwortlich ist. Eine zentrale Datenhaltung in Form einer "CIM-Datenbank", in der bereichsübergreifende Daten (Stammdaten wie z.B. Stücklisten oder NC-Programme) gehalten werden, ist wegen der im Produktionsbereich hohen Anforderungen an Datensicherheit und Zugriffsgeschwindigkeit bei unterschiedlich hohen Anforderungen an den Bedienkomfort derzeit technisch nicht sinnvoll.

Auf die Eignung verschiedener Datenhaltungssysteme (Datenbanken, Filemanagementsysteme, Prozeßdatensysteme) für bestimmte Hierarchieebenen wurde bereits eingegangen.

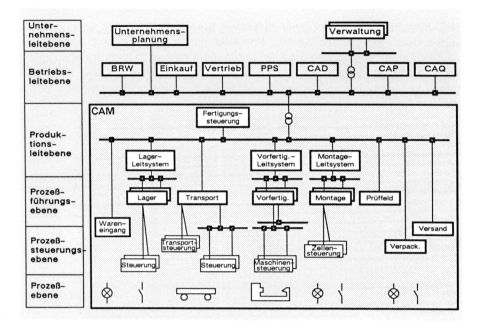

Bild 4.4-4:   DV-Struktur-Modell (Beispiel 4)

Die direkte Kommunikation zwischen zwei verschiedenartigen Datenhaltungssystemen ist nicht möglich, hierfür muß vorher eine Umsetzung (Konvertierung) durchgeführt werden. Funktionsbereiche, die mit zwei verschiedenen Datenhaltungssystemen kommunizieren müssen, wie z.B. die Vorfertigung in der Prozeßführungsebene, verfügen dementsprechend über beide Systemarten, also über Filemanagementsystem und Prozeßdatensystem.

Die in vielen CIM-Konzepten pauschal geforderte Datendurchgängigkeit bedeutet *nicht* die Kommunikation beliebiger Partner untereinander, sondern eine entsprechend den technischen und organisatorischen Anforderungen eingeschränkte aber optimierte Kommunikation.

4.5 Technischer Anhang Datenhaltung und Kommunikation

Eine Sammlung von Daten, auf die von verschiedenen Anwendern zugegriffen werden kann, wird als Datenbank bezeichnet. Die Daten werden dabei so gespeichert, daß sie unabhängig von den Programmen sind, von denen sie benutzt werden. Eine allen gemeinsame und kontrollierte Lösung wird für das Hinzufügen, das Modifizieren und das Abfragen gespeicherter Daten der Datenbank benutzt. Ein System kann mehrere Datenbanken enthalten, wenn jede für sich eine eigenständige, von den anderen verschiedenene Datenstruktur hat. Technische Datenbanken (meist im CAE-Bereich angesiedelt) unterscheiden sich von den kommerziell organisierten Datenbanken dadurch, daß zusätzlich noch geometrische Daten gespeichert werden müssen.

4.5.1 Datenbanken

Die verschiedenen Datenbanksysteme unterscheiden sich nach der Art und Weise wie die Beziehungen zwischen den Informationstypen strukturiert sind. Die wichtigsten Datenbankmodelle sind:

- hierarchisches Modell
- Netzwerkmodell
- Relationenmodell
- und Mischformen.

Hierarchische Datenbank

Zwischen den einzelnen Informationstypen bestehen hierarchische Beziehungen. Der Informationstyp der höchsten Ebene (Auftrags-Nr.) wird als Wurzel der Struktur bezeichnet. Die Abhängigkeit äußert sich darin, daß der Zugriff nur über die Wurzel mit anschließender Abarbeitung der abhängigen Typen (Stückliste, Arbeitspläne) möglich ist (s. Bild 4.5.1-1).
Über ein zusätzliches Inhaltsverzeichnis (Index), den sogenannten Sekundärindex, ist es möglich, abhängige Informationseinheiten direkt anzusprechen.
Beim hierarchischen Modell darf jede abhängige Informationseinheit genau einen Vorgänger haben.

Netzwerk-orientierte Datenbank

Während beim hierarchischen Modell alle Beziehungen von der übergeordneten zur abhängigen Einheit gerichtet sind, können sie bei der Netzwerkstruktur bidirektional auftreten. Die Zahl der Beziehungen zwischen den einzelnen Netzwerkelementen ist nicht beschränkt. Die Netzwerkstruktur kann sehr komplexe Formen annehmen, so daß die Beziehungen unübersichtlichen werden.

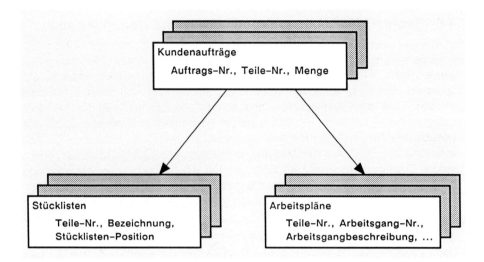

Bild 4.5.1-1: Hierarchische Datenbank

Wichtig ist, daß alle Informationstypen gleichberechtigt sind und deswegen unabhängig voneinander, nach der jeweils sinnvollsten Art und Weise gespeichert werden können (s. Bild). Die definierten Beziehungen zwischen den Informationseinheiten werden durch Querverweise (Deskriptoren) verwirklicht.

Der wesentliche Nachteil dieser Datenbankart ist, daß sie meist nur von Spezialisten eingerichtet und bedient werden kann.

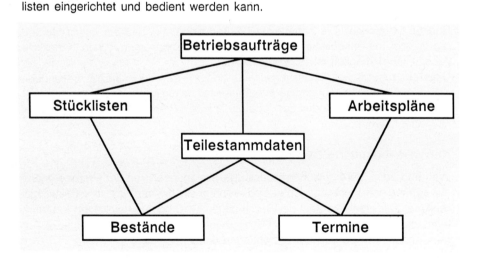

Bild 4.5.1-2: Netzwerkorientierte Datenbank

Relationale Datenbank

Bei einer relationalen Datenbank sind die Daten unabhängig von den Programmen und werden dem Benutzer und dem Anwendungsprogramm in Form von einfachen Tabellen (Relationen) präsentiert. Die Zusammenhänge zwischen den Tabellen werden mit Hilfe der eigentlichen Daten hergestellt, indem in verschiedenen Tabellen die gleichen Kennzeichen auftreten. Diese Art der Adressierung von Daten mittels ihrer Kennzeichen und Werte ersetzt die Adressierung nach der physikalischen und logischen Position, wie sie z.B. auch in Programmiersprache gängig ist. Die besonderen Vorteile der relationalen Zuordnung sind:

- Unabhängigkeit von Daten und Programmen
- Anwender kommen nicht mit der Komplexität der Relationen in Berührung
- Flexibilität: Zerteilen und Zusammenfügen über Relationen
- Datenschutz: Schutzmechanismen beschränken sich auf getrennte Relationen
- Herstellung von Datenbeziehungen: Die größtmögliche Flexibilität ist dadurch gegeben, daß Attribute verschiedener Tupeln (Zeilen der Tabellen) oder verschiedener Dateien aufeinander bezogen sind.
- Datenunabhängigkeit
- Datenhantierungssprache
- Klarheit.

Reorganisation

Werden viele Einfüge- und Löschvorgänge von Datensätzen durchgeführt, so vergrößert sich der benötigte physikalische Primärdatenbereich (Nutzdatenbereich). Dabei entstehen physikalische Freiplätze, die nicht mehr benutzt werden. Um diese Freiplätze erneut nutzen zu können, ist von Zeit zu Zeit eine Komprimierung der Datenbereiche durch Reorganisation notwendig. Die Primärdatenbereiche werden dabei komprimiert und die Sekundärdaten neu aufgebaut. Es gibt folgende Reorganisations-Modi:

- Primär- und Sekundärdaten reorganisieren
- einzelne Sekundärdatenbereiche reorganisieren
- alle Sekundärdaten reorganisieren.

Nicht immer ist eine Reorganisation notwendig. Bei der Freispeicherverwaltung, die bei starkfrequentierten Schreib-/Lese-/Löschvorgängen von Sätzen interessant ist, werden die Primärdatenbereiche automatisch organisiert. Hierbei entfallen die Reorganisationsläufe zur Datenkomprimierung.

Um eine hohe Verfügbarkeit und Wiederauffindbarkeit von Daten zu gewährleisten, müssen Daten vor Verlust gesichert, vor Verfälschung bewahrt und vor unberechtigtem Zugriff geschützt werden.

Entsprechend unterscheidet man insbesondere bei Datenbanken, die große Datenmengen mehrerer Benutzer verwalten, aber auch bei Filemanagementsystemen oder Prozeßdatensystemen, die drei Sicherheitsaspekte:

- Datensicherheit im engeren Sinne
- Datenintegrität
- Datenschutz.

Datensicherheit

Datensicherheit kann gefährdet werden durch unvorhergesehene Ereignisse wie Defekte an Datenträgern, Stromausfall, Fahrlässigkeit bei der Handhabung, bewußte Sabotage oder auch Brand. Um sich gegen Totalverlust aller Daten im Katastophenfall zu schützen, legt man von Zeit zu Zeit Kopien (Dumps, Back-Up's) der gesamten Datenbank an und verwahrt diese extern.

Zur Behebung der "alltäglichen" Störungen sind Recovery–Maßnahmen in Datenbanksystemen vorgesehen. Fällt z.B. während einer Artikelnummeränderung der elektrische Strom aus, dann kann es sein, daß in manchen Relationen die Änderung vollzogen ist, in anderen noch nicht; die Datenbank ist somit inkonsistent geworden. Da die Information über die laufende Transaktion nur im Hauptspeicher des Rechners gehalten wird, ist sie bei Stromausfall verloren.
Hier setzen die Recovery–Routinen des Datenbanksystems an. Mit Hilfe des "Logbuches" gestatten sie ein Zurücksetzen aller zum Zeitpunkt des Absturzes noch nicht vollständig abgeschlossenen Transaktionen ("roll back").
Aufwendiger ist die Rekonstruktion der Datenbank, wenn an Datenträgern Defekte entstanden sind, bei denen Teile der Datenbank unlesbar geworden sind. Aber auch für diesen Fall müssen entsprechende Recovery–Routinen vorhanden sein. Dabei geht man vom letzten gesicherten Zustand der Datenbank aus und fährt an Hand des Logbuches alle bis zum Defekt vorgenommenen abgeschlossenen Transaktionen nach.
Eine andere oft eingesetzte Vorgehensweise ist die der doppelten Datenhaltung, sogenannter Datenspiegelung. Hierbei werden die Daten auf ein zweites Speichermedium gleicher Art geschrieben, jedoch nur von einem Datenträger gelesen.

Datenintegrität

Datenintegrität bedeutet "Richtigkeit" der Daten. Dazu gehört, daß dem Datenbanksystem anvertraute Daten nicht ohne weiteres von Unbefugten geändert werden können. Dies kann neben einer Zugangskontrolle zum System über Passwörter durch Führen eines Logbuches sichergestellt werden.
Zur Datenintegrität gehört ferner die Gewährleistung der Konsistenz der Daten. Das Problem der Datenkonsistenz ergibt sich nicht nur bei der Dezentralisierung. Dies kann sich auch innerhalb einer Datenbank ergeben. Zusammenhänge, die rein semantischer Natur sind, können auch nicht durch geeignetes Design vermieden werden. Werden z.B. Meßwerte einer bestimmten Reihe und der sich dabei errechnete Mittelwert gespeichert, so ist dieser von den Einzelwerten vollständig funktional abhängig. Eine Änderung eines Einzelwertes müßte also immer auch eine Änderung des Mittelwertes ergeben. Derartige Abhängigkeiten nannt man semantische Integritätsbedingungen. Diese gehören im Grunde zum

konzeptionellen Schema einer Datenbank. Für ihre Einhaltung muß der Benutzer selbst sorgen, da die heutigen, verfügbaren Datenbanksysteme dies noch nicht unterstützen. Der Benutzer muß per Programm sicherstellen, daß die Änderungen in allen Relationen **gleichzeitig** vollzogen werden (Trigger-Funktion).

Datenschutz

Für manche Daten besteht die Notwendigkeit, sie allgemein zur Verfügung zu stellen. Dies stellt man sicher durch bestimmte Zugriffsmechanismen. Einschränkungen der Zugriffsberechtigungen können sich auf Attribute, Attributkombinationen oder auch Attributwerte beziehen.

Derartige Schutzmaßnahmen lassen sich zum Teil bereits über geeignete Definitionen von Benutzersichten realisieren. Weitere Möglichkeiten bestehen im Passwortschutz auf Attributebene oder auch in der Verschlüsselung von Daten. Alle diese Möglichkeiten werden von existierenden Datenbankensystemen mehr oder weniger stark genutzt.

4.5.2   Datenübertragungsverfahren

Grundsätzlich unabhängig von der Art des Übertragungsmediums (z.B. Koaxialkabel oder Lichtwellenleiter) ist das Übertragungsverfahren. Daten lassen sich
als unmodulierte oder modulierte Signale übertragen.
Die Modulation bietet die Möglichkeit, mehrere Kommunikationsaufträge gleichzeitig über dasselbe Übertragungsmedium zu senden.

Basisbandübertragung

Als Datenübertragung im Basisband bezeichnet man die Übertragung unmodu-
lierter Signale. Das bedeutet, daß digital vorliegende Signale auch in digitaler
Form weitergegeben werden. Es wird lediglich unterschieden, ob die Übertragung mit oder ohne Gleichanteil geschieht, ob die Signalpegel also symmetrisch
oder asymmetrisch zur Null–Linie liegen. Das Signalspektrum reicht von der Fre-
quenz 0 Hz (also dem Gleichanteil) bis zu theoretisch unendlich hohen Frequenzen.
Basisbandtechnik wird auf Zweidrahtleitungen und Koaxialkabeln benutzt. Die
erreichbare Datenübertragungsrate hängt im wesentlichen vom Kabeldurchmes-
ser und der Leitungslänge ab.

Carrierbandübertragung

Viele Übertragungswege haben in einem bestimmten Frequenzband günstigere
Übertragungseigenschaften als bei tieferen bzw. höheren Frequenzen. Auf der
Sendeseite werden deshalb die zu übertragenden digitalen Signale auf Frequenzen dieses Bandes umgesetzt (Frequenzmodulation) und auf der Empfangsseite
wieder zurückgewandelt (Frequenzmodulation). Die Umsetzung erfolgt mit sogenannten MODEMS (Modulation–Demodulation).
Wird die gesamte Bandbreite des Kabels für nur einen Übertragungskanal verwendet, spricht man von Carrierband- bzw. Trägerbandtechnik.

Breitbandübertragung

Bei der modulierten Übertragung nach dem Breitbandverfahren wird das band-
begrenzte Nachrichtensignal auf eine bestimmte Trägerfrequenz aufgeprägt.
Mehrere Nachrichtensignale können parallel übertragen werden, indem man unterschiedliche Trägerfrequenzen so wählt, daß die Nachrichtenbänder aneinan-
dergereiht die gesamte Bandbreite des Netzkabels ausfüllen. Dadurch wird die
Kabelkapazität aufgeteilt in eine Reihe einzelner Kanäle, die für unterschiedliche
Anwendngen genutzt werden können (Frequenzmultiplexverfahren).

Das bei Vergleichen zwischen Basisband und Breitband am häufigsten zugunsten der Breitbandlösung herangezogene Argument ist die Fähigkeit der Breitbandnetze, parallel zu Digitaldaten auf dem gleichen Übertragungsmedium auch
Video- und Sprachsignale auf getrennten Kanälen in analoger Form zu übertragen. Der zweite Vorteil ist die große räumliche Ausdehnungsfähigkeit der
Breitbandnetze. Mit der Kombination aus Breitband und Basisband erhält man
das technische und wirtschaftliche Optimum. Der Breitbandteil des Netzwerkes

überbrückt größere Entfernungen und bietet mehrere voneinander unabhängige Kanäle über nur ein Transportmedium. Der Breitbandnachteil, d.h. der Aufwand bei jeder Veränderung im Breitbandteil des Netzwerkes, ist damit vermieden, da ja nur Anschlüsse für komplette Einheiten, z.B. Fertigungsbereiche, vorzusehen sind, die nur selten Gegenstand der Änderung sind.

Das Basisband des Netzwerkes besorgt die preiswert zu installierende, schnelle, änderungsfreundliche und besonders störunempfindliche Kommunikation innerhalb einzelner Bereiche. Da die meisten Teilnehmer physikalisch über Basisband versorgt werden, lassen sich auf diese Weise die Gesamtkosten einer integrierten Netzwerklösung merklich reduziert.

4.5.3 Netzzugriffsverfahren

Wie aus der Beschreibung der Basisbandübertragung deutlich wurde, kann zu einer Zeit nur eine Informationsübertragung auf dem Medium stattfinden. Um aber den gleichzeitigen Übertragungswunsch mehrerer Stationen zu berücksichtigen, muß ein Zugriffsverfahren festgelegt werden.

Lokale Netze haben meist keine zentral gesteuerte Kommunikation, sondern ein demokratisches d.h. dezentrales Zugriffsverfahren. Bei diesem dezentralen Zugriffsverfahren wird zwischen kollisionsbehaftetem (statisch-orientierten) und kollisionsfreiem (deterministischen) Zugriff auf das Übertragungsmedium unterschieden:

Kollisionsbehafteter Zugriff (Ethernet)

Dieses Verfahren ist unter der Bezeichnung CSMA/CD (Carrier Sense Multiple Access with Collision Detection) als wahlfreie Zugriffsmethode genormt und unter der Trademark ETHERNET in vielen Produkten implementiert. Die technische Realisierung diese Verfahrens baut auf zwei Bedingungen auf:
1. allen Teilnehmern steht nur ein Kanal zur Verfügung (Multiple Access) und
2. jeder Teilnehmer kann zu einer Zeit nur senden oder hören.

Jede Station in einem Ethernet-Netzwerk hört den Kanal ab, ob einer der Teilnehmer sendet (Carrier Sense). Wenn der Kanal frei ist, kann sie sofort mit dem Senden beginnen. Dies wird von allen anderen Teilnehmern registriert und demgemäß stellen sie ihr Sendebegehren zurück.

Der Kollisionsfall tritt nun ein, wenn mehrere Teilnehmer gleichzeitig (innerhalb der max. Signallaufzeit durch das Netz) zu senden beginnen. In diesem Fall wird die Kollision durch Vergleich zwischen Senden und Hören erkannt und alle Stationen brechen ihren Sendevorgang ab. Nach nun unterschiedlichen Verzögerungszeiten wiederholen die Stationen den Sendeversuch erneut. Hierbei sind die Vor- und Nachteile dieses Ethernet-Verfahrens sichtbar:
Es ist bei einem wenig ausgelasteten Kommunikationssystem äußerst effektiv. Bei hoher Belastung häufen sich die Kollisionen, Teilnehmer mit Sendewunsch werden unter Umständen mehrmals in Kollisionen verwickelt, die Nachrichtenübertragung entsprechend verzögert.
Das Ethernet-Verfahren (ISO-Norm DIS 8802/3-LAN) arbeitet mit Koaxialkabeln, die Daten werden im Basisband mit 10 Mbit's übertragen.

Deterministische Verfahren

Deterministische Verfahren regeln – im Gegensatz zum Kollisionsverfahren – den Zugriff auf das Übertragungsmedium so, daß die Zugriffsverzögerung kalkulierbar. Damit sind diese Verfahren Echtzeitfähig und z.B. für zeitkritische Regelungsprozesse verwendbar.

Token-Ring

Unter dem Token stelle man sich einen Briefumschlag vor, der von Teilnehmer zu Teilnehmer gereicht wird. Erhält ein Teilnehmer mit Sendebegehren einen leeren Umschlag, darf er ihn adressieren und mit Daten füllen. Die anderen Teilnehmer reichen den Briefumschlag weiter bis zum Empfänger. Dieser kopiert sich den Inhalt und markiert ihn, daß er die Nachricht empfangen hat. Der Absender nimmt den Brief aus dem Umschlag heraus und ersetzt ihn durch einen leeren Briefumschlag, wenn er erkannt hat, daß der Empfänger die Nachricht empfangen hat.

Beim Token-Ring-Verfahren entstehen komplizierte Situationen, wenn z.B. die Adressen verfälscht werden oder der Briefumschlag verloren geht. Es arbeitet deshalb *i.a. mit zentraler Steuerung* und Überwachung, was zusätzlich den Vorteil hat, daß die Reihenfolge der Teilnehmer willkürlich bestimmt und damit Prioritäten vergeben werden können.

Token-Bus

In einem Token-Bus wird die Sendeberechtigung – der Token – wie beim Token-Ring von Teilnehmer zu Teilnehmer nach verabredeten Regeln in einem Telegramm weitergereicht.

Beim Token-Bus gibt es *keine zentrale Instanz* für die Zuteilung der Sendeberechtigung. Alle Teilnehmer nehmen an dem Tokenumlauf teil. Der Token-Halter wickelt seine Kommunikationsaufträge ab und gibt den Token weiter. Der Token muß nach einer max. Verweilzeit auch dann weitergegeben werden, wenn der Tokenhalter noch weitere Kommunikationsaufträge vorliegen hat. Durch diese Regelung wird erreicht, daß jeder Teilnehmer spätestens nach einer **garantierten Wartezeit** die Sendeberechtigung erhält.

Vergleichs-kriterium	Ethernet	Token Bus	Token Ring
Zugriffs-koordination	CSMA / CD Kollisionen werden erkannt und behoben	Zugriffsmarke (Token)	Zugriffsmarke (Token)
Antwortzeit-verhalten	gut bei geringer Last, schlecht bei Überlast	abhängig von der Teilnehmer-anzahl, Maximalwert angebbar	wie Token Bus, jedoch schneller
Komplexität	gering	mittel	groß
Prioritätsstufen	keine	4	6

Bild 4.5.3-1:   Netzzugriffsverfahren im Vergleich

Der Tokenbus ist für Carrierband- und Breitband-Übertragungstechnik und Datenübertragngsraten von 1,5 Mbit/s und 10 Mbit/s standardisiert. Eine Realisierung mit Lichtwellenleitern (LWL) ist heute noch sehr aufwendig. Bei einer 5 Mbit/s-Version in Carrierbandtechnik auf Koaxialkabel lassen sich Entfernungen bis 2000 m verstärkungsfrei überbrücken. An einem Segment können bis zu 100 Teilnehmer angeschlossen werden.

Anwendungsschwerpunkt des Token-Bus ist die Fertigungs- und die Prozeßautomatisierung. Busse mit dem CSMA/CD- und Token-Bus-Zugriffsverfahren lassen sich über Bridges und Router-Verbindungselemente mit geringem Aufwand koppeln.

5 Schrifttum

Aggteleky, B.
Fabrikplanung
Carl Hanser Verlag, München, 1971

Beckers, H.-J.
Projekt-Management
RWK-Handbuch Führungstechnik und Organisation Bd. 1
Leitziffer 1522, Nr. 5, März 1980

Bühn, G.
Anwendungen der Netzplantechnik
RWK-Handbuch Führungstechnik und Organisation Bd. 1
Leitziffer 2162, 14. Lieferung, Juli 1984

Dornier System GmbH
PPS Projekt-Planungs- und Steuerungs-System, Kurzbeschreibung
Friedrichshafen

Dürr, W. / Kleibohm, K.
Operations Research, Lineare Modelle und ihre Anwendungen
Carl Hanser Verlag, München, 1983

Foster, R.
Innovation, die technologische Offensive
Gabler, Wiesbaden, 1986

Geitner, U.W. (Hrsg.)
CIM-Handbuch: Wirtschaftlichkeit durch Integration
Vieweg, Braunschweig, 1987

Gernet, E.
Das Informationswesen in der Unternehmung
Carl Hanser Verlag, München

Grochla, E.
Grundlagen der organisatorischen Gestaltung
Poeschel, Stuttgart, 1982

Große-Oetringhaus, W.F.
Praktische Projektgestaltung mit Netzplantechnik
G. Schmidt Verlag, Gießen, 1977

Grupp, B.
Materialwirtschaft mit EDV
Expert Verlag, Grafenau/Württ., 2. Auflage, 1980

Hackstein, R.
Einführung in die technische Ablauforganisation
Carl Hanser Verlag, München, 1985

Hackstein, R.
Produktionsplanungs- und -steuerungssysteme
VDI-Verlag GmbH, Düsseldorf, 1984

Haldmann, H.R.
Materialflußplanung als Grundlage der Werkstattplanung
VDI-Zeitschrift 103, 1961,1 S. 19-23

Hansen, H.R.
Arbeitsbuch Aufbau betrieblicher Informationssysteme
4. Auflage, Wirtschaftsuniversität Wien, 1981

Harrmann, A.
Steigerung der Effizienz der Organisation in industriellen Unternehmungen
Herne, Berlin, 1980

Helberg, P.
PPS als CIM-Baustein,
Schmidt Verlag, Berlin, 1987

Hermann, P.
Flexible Fertigungskonzepte
VDI-Zeitschrift 123, 1981, 15/16, S,615-628

Hölscher, K.
Eigenfertigung oder Fremdbezug
Wiesbaden, 1971

Johnson, K.L.
Grundlagen der Netzplantechnik
VDI-Verlag GmbH, 1974

Katzan, H.
Methodischer Systementwurf: Eine Einführung in die HIPO-Technik
R. Müller, Köln-Braunsfeld, 1980

Kettner, H. / Schmidt, J. / Greim, J.-R.
Leitfaden der systematischen Fabrikplanung
Carl Hanser Verlag, München, 1984

Kiwitz, H.
Produktplanung
Oldenbourg Verlag, München, 1974

Knopf, H.S.
Projektmanagement: Das Umfeld muß stimmen
Zeitschrift für Führung und Organisation 54.Jg Nr. 8/1985 S.431 ff.

Krieg, W.
    Integraler Warenfluß
    Industrielle Organisation 44, 1975, 7, S. 341–345

Küpper, W. / Lüder, K. / Streitferdt, L.
    Netzplantechnik
    Physica-Verlag, 1975

Lockemann, P.C. / Klopprogge, M. / Schreiner, A. / Trauboth, H.
    Systemanalyse, DV-Einsatz
    Springer Verlag, Berlin, 1978

Luithle, J.
    Integrierte Fertigungssteuerung durch bereichsübergreifende Daten-
    kommunikation und benutzergerechte Informationsverarbeitung,
    FhG-Berichte 1985, Heft 2, Fraunhofer-Gesellschaft, Stuttgart

Martin, H.
    Materialfluß- und Lagerplanung, Reihe: Fertigung und Betrieb
    Springer Verlag, Berlin, 1979

Mellerowicz, K.
    Betriebswirtschaftslehre der Industrie
    Haufe Verlag, Freiburg i. Br., 7. neub. Aufl., 1981

Mertens, P.
    Industrielle Datenverarbeitung,
    Bd. 1: Administrations- u. Dispositionssysteme, 1986
    Bd. 2: Informations- u. Planungssysteme, 1984
    Gabler Verlag, Wiesbaden

Nestler, H.
    Materialflußuntersuchungen in Fertigungsbetrieben
    VDI-Verlag GmbH, Düsseldorf, 1974

Oeldorf, G. / Olfert K.
    Materialwirtschaft,
    Kiehl-Verlag, Ludwigshafen, 5. verb. Aufl., 1987

REFA
    Methodenlehre der Planung und Steuerung, Teil 2: Planung
    Carl Hanser Verlag, München, 1985

REFA
    Methodenlehre des Arbeitsstudiums 3 Bde.,
    Carl Hanser Verlag, München, 1976

REFA
    NC-Organisation für Produktionsbetriebe
    Carl Hanser Verlag, München

Rintza, P. / Schmitz, H.
Nutzwertanalyse in der Systemtechnik
Wittemannsche Buchh., München, 1970

Schwarz, H.
Betriebsorganisation als Führungsaufgabe
Verl. Moderne Industrie, 9. neub. Aufl., Landsberg, 1983

Siemens AG
SINET – System für interaktive Netzplantechnik
München, 1983

Siemens AG
CIM-College
Kursunterlagen E 88, Nürnberg-Moorenbrunn, 1987

Spur, G. / Auer, B.H.
Die automatische Handhabung bei flexiblen Fertigungszellen
Werkstattstechnik 65, 1975, 3, S.117–123

Spur, G. / Mertens, K.
Flexible Fertigungssysteme, Produktionsanlagen der flexiblen Automatisierung
Zeitschrift für wirtschaftliche Fertigung 76, 1981, 9, S.441–448

Stemmer, F.A.
Methodische Vorgehensweise zur Langfristplanung in bestehenden Unternehmen und Betrieben
Dissertation Technische Universität Hannover, 1979

Stensloff, H.
Kommunikation in technischen Systemen
GI/NTG-Tagung 1985

Steinbuch, P.A. / Olfert, K.
Fertigungswirtschaft
Kiehl Verlag, 3. verb. Aufl., Ludwigshafen, 1987

Steinbuch, P.A.
Organisation
Kiehl Verlag, 1987, 6. Aufl., Ludwigshafen

Tietke, J.R. / Witthoff, H.-W.
Industriebetriebslehre,
Gehlen, Bad Homburg, 1979

VDI-Richtlinie 3330
Kostenuntersuchungen zum Materialfluß
August, 1965

VDI (in Zsarb. mit AWF)
Lexikon der Produktionsplanung und -steuerung
VDI-Verlag GmbH, Düsseldorf, 1983

Vettin, G.
Analyse der Konzeptionen flexibler Fertigungssysteme
VDI-Zeitschrift 121, 1979, 1/2, S.14-23

Viso-Data Computer GmbH
VISPLAN Netzplantechnik
Wien, 1983

Warnecke, H.J.
Der Produktionsbetrieb: Eine Industriebetriebslehre für Ingenieure
Springer, Heidelberg, 1984

Wedeking, H.
Systemanalyse
Carl Hanser Verlag, München, 1973

Wegener, N.
Simulation von Einplanungs- und Abfertigungsstrategien bei Werk-
stattfertigung,
Dissertation Universität Hannover, 1978

Wiendahl, H.-P.
Betriebsorganisation für Ingenieure
Carl Hanser Verlag, München, 1983

Wiendahl, H.-P. / Heuwing, F.
Methode zur Klassifizierung von produktunabhängigen Baugruppen
Köln, 1973

Wissel, H.
Datenkommunikation im technischen Bereich, eine Voraussetzung zur
integrierten Produktionssteuerung
FhG-Berichte 1983, Heft 2, Fraunhofer-Gesellschaft, Stuttgart

Wöhe, G.
Einführung in die Allgemeine Betriebswirtschaftslehre
Vahlen Verlag, München, 1978

Zettelmeyer, B.
Strategisches Management und strategische Kontrolle
Töche-Mittler, Darmstadt, 1984

Siemens-Fachbücher

Berger, Hans
Automatisieren mit SIMATIC S5-115U
2., überarbeitete Auflage, 1989
368 Seiten, 18 cm × 24,5 cm, laminierter Pappband
ISBN 3-8009-1526-X

Berger, Hans
Automatisieren mit SIMATIC S5-135U
3. Auflage, 1989,
264 Seiten, 18 cm × 24,5 cm, laminierter Pappband
ISBN 3-8009-1537-5

Berger, Hans
Automatisieren mit SIMATIC S5-155U
1989, 392 Seiten, 18 cm × 24,5 cm, laminierter Pappband
ISBN 3-8009-1538-3

Programmierfibel für SIMATIC S5-100U
Praktische Übungen
mit dem Programmiergerät PG 615

1988, 86 Seiten, 14 Abbildungen, 18 cm × 25 cm,
Spiralbindung, kartoniert
ISBN 3-8009-1500-6

Merz, Norbert
Programmierfibel für S5-101U
Automatisierungsgerät S5-101U
mit Programmiergerät 605U

3. Auflage, 1986,
77 Seiten, 24 Abbildungen, 18 cm × 23,5 cm, Spiralbindung, kartoniert
ISBN 3-8009-1454-9

Ernst, Manfred; Steigert, Walter
Programmierung
mit der Assemblersprache ASS 300
Teil 1 und Teil 2

6., überarbeitete und erweiterte Auflage, 1987,
zusammen 655 Seiten, Taschenbuch, kartoniert
ISBN 3-8009-1482-4

Bezner, Heinrich (Bearbeiter)

Fachwörterbuch Energie- und Automatisierungstechnik

Dictionary of Power Engineering and Automation

Teil 1 Deutsch/Englisch

2., überarbeitete und erweiterte Auflage, 1988, 588 Seiten, 14,8 cm × 22 cm, laminierter Pappband
ISBN 3-8009-1503-0

Teil 2 Englisch/Deutsch

2., überarbeitete und erweiterte Auflage, 1988, 500 Seiten, 14,8 cm × 22 cm, laminierter Pappband
ISBN 3-8009-1516-0

Lange, Rüdiger; Watzlawik, Günter

Glossar CAD/CAM

2., erweiterte Auflage, 1987, 120 Seiten, 54 Abbildungen, Taschenbuch, kartoniert
ISBN 3-8009-1492-1

End, Wolfgang; Gotthardt, Horst; Winkelmann, Rolf

Softwareentwicklung
Leitfaden für Planung, Realisierung und Einführung von DV-Verfahren

6., durchgesehene Auflage, 1987, 522 Seiten, 148 Bilder, 56 Tabellen, 18 cm × 23,5 cm, Pappband;
mit Beiheft „Checkpunkte für Entwickler und Entscheider" (47 Seiten) und Faltblatt „Prozeßschritte"
ISBN 3-8009-1483-2

Asam, Robert; Drenkard, Norbert; Maier, Hans-Heinz

Qualitätsprüfung von Softwareprodukten
Definieren und Prüfen von Benutzungsfreundlichkeit, Wartungsfreundlichkeit, Zuverlässigkeit

1986, 336 Seiten, 43 Abbildungen, 9 Tabellen, 18 cm × 23,5 cm, Pappband
ISBN 3-8009-1455-7

Burghardt, Manfred

Projektmanagement
Leitfaden für die Planung, Überwachung und Steuerung von Entwicklungsprojekten

1989, 511 Seiten, 328 Abbildungen, 18 cm × 24,5 cm, laminierter Pappband
ISBN 3-8009-1527-8